KB101648

저희 아들은 『똑똑한 하루 독해』를 푸는 동안에
정말 멈출 수 없는 흥미로움과 재미에 빠져 있었습니다.
'더 하고 싶어. 더 풀고 자면 안 돼?'라는 말을 많이 듣게 해 준 독해서예요.
정말 즐겁게 잘 풀어 준 교재라 저는 더할 나위 없이 좋았네요.
다시 한 번 더 정말 너무너무 감사드리고 『똑똑한 하루 독해』를 빨리 만나 보고 싶어요.

– 『똑똑한 하루 독해』 검토단 이은주(초등학교 3학년 학생 부모님)

#홈스쿨링
#혼자공부하기

똑똑한
하루 독해

Chunjae
Makes
Chunjae

▼

[똑똑한 하루 독해] 4단계 A

편집개발   이문태, 이재인, 김민숙, 김효진, 박지윤
디자인총괄   김희정
표지디자인   윤순미
내지디자인   박희춘, 임용준
제작   황성진, 조규영

발행일   2021년 11월 15일 2판   2024년 4월 1일 5쇄
발행인   (주)천재교육
주소   서울시 금천구 가산로9길 54
신고번호   제2001-000018호
고객센터   1577-0902

4단계 A 공부할 내용 한눈에 보기!

똑똑한 하루 독해를 함께 할 친구들을 소개합니다.

모든 정보가 디지털 정보로 만들어져 책을 읽는 사람이 거의 없어진 미래! 우연히 본 책에 마음을 빼앗긴 래온이는 독해력을 길러 마음껏 책을 보기 위해 과거로 왔어요.

무엇이든 물어봐!

래온

반가워!

아빠

천방지축 괴짜 남매 우리와 나라의 집에서 함께 살게 된 사고뭉치 래온. 덕분에 우리와 나라를 돌보기도 벅찼던 아빠는 더욱 바빠졌어요. 래온이가 우리, 나라 남매와 함께 독해력을 키워 나가는 모습을 지켜봐 주세요.

독해? 독해!
독해가 뭐예요?

똑똑한 독해 질문

하나!

다들 '독해, 독해' 하는데 독해가 뭐예요?

글자를 읽기만 하는 게 아니라
진짜 이해하여 내 지식으로 만드는 것이 독해예요!

똑똑한 독해 질문

둘!

그럼 독해는 국어인가요?

독해는 그냥 국어만이 아니에요. 읽고 이해하는 독해가 안되면 수학 문제도 풀 수 없어요. 이처럼 독해는 모든 과목 공부를 잘하기 위한 기초랍니다. 독해를 통해 모든 과목의 지식을 내 것으로 만드는 방법을 배워야 해요.

똑똑한 독해 질문

셋!

글 읽고 문제만 계속 풀면 독해 공부가 되나요?

무조건 글 읽고 문제만 푼다고 독해 공부가 잘될 리 없지요. 「똑똑한 하루 독해」로 공부해 보세요. 먼저 어휘를 익히고 시나 이야기뿐만 아니라 수학, 사회, 과학, 역사, 예술은 물론 생활 속 글까지 다양하게 읽어 보세요. 그리고 어휘 심화 문제와 게임으로 실력을 다져요. 이해도 쏙쏙 되고 지루할 틈이 없겠지요?

진짜 똑똑한 독해를 시작해 볼까요?

이 책의
특징과 장점

똑똑한 하루 독해로
똑똑해지자!

뭐 이렇게 독해책이 많아?

모르는구나?
요즘 독해가 대세야!

독해를 잘해야 국어뿐만
아니라 다른 과목 문제를
풀 때에도 요점을 잘 짚어
이해하고 풀 수 있다고.

독해는 어휘가 기본인데,
이 책은 어휘가 너무 부족해.

이 책은 너무 글만 가득해서
어렵고 지루해. 벌써 졸려!

이 책은 몽땅 교과서 글만 있잖아.
난 다양한 글을 읽고 싶은걸.

똑똑한 하루 독해!
왜 똑똑한 하루 독해일까요?

① **10분**이면 **하루 독해 끝!** 쉽고 재미있는 독해 공부!

② **어휘로 준비하고 어휘로 마무리!** 어휘력 쏙! 독해력 쑤욱!

③ **'문학·비문학·실생활' 알짜 지문!** 하루하루 다양하고 즐거운 독해!

④ **독해 최초 생활 속 독해, 생활 어휘, 생활 한자!** 생활 맞춤 실용 독해 완성!

⑤ **똑똑한 독해 게임**으로 **사고력 넓히기!** 창의·융합 독해력 팍팍!

이 책의 구성과 활용

주 도입

한 주에 공부할 내용을 한눈에 보고, 문제로 확인합니다.

한 주 동안 매일 공부할 글의 제목과 내용을 만화로 미리 살펴보고, 한 주의 독해 속 어휘를 만화와 문제로 확인합니다.

독해 코스

QR 코드를 찍으면 다양한 학습 자료를 보고 들을 수 있어요.

독해 개념과 필수 어휘 미리 익히기

재미있는 만화로 학습 목표와 핵심 독해 개념을 익히고, 지문 속 핵심 어휘를 간단한 문제로 미리 익히며 독해를 준비합니다.

실전 독해와 다양한 유형의 핵심 문제 풀기

여러 영역의 글을 읽고 다양한 유형의 문제로 독해를 완성합니다. 서술형 문제로 쓰기 연습을 해 보고, '스스로 독해 해결!' 문제로 자기 주도 학습 능력을 키웁니다.

똑똑한 하루 독해 어휘
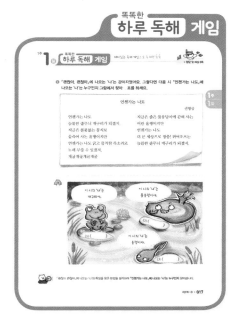

어휘 문제로 마무리하기
글에 쓰인 어휘를 문제로 다시 한번 확인하고 비슷한말, 반대말 등 관련 어휘 학습으로 어휘력을 넓힙니다.

똑똑한 하루 독해 게임

게임으로 독해력 넓히기
재미있는 독해 게임으로 독해력을 넓히고 하루의 독해 학습을 마무리합니다.

누구나 100점 테스트와 주 특강으로 한 주의 독해를 마무리해 봅니다.

주 마무리

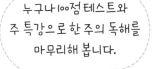

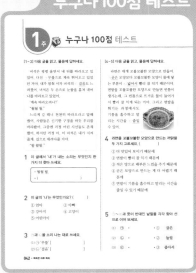

누구나 100점 테스트
한 주 동안 공부한 내용을 평가해 보며 독해 실력을 확인하고, 독해에 대한 자신감을 키웁니다.

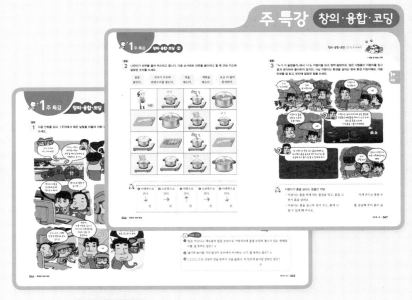

주 특강 창의·융합·코딩
다양한 형식의 창의·융합·코딩 미션을 해결하며 한 주의 중요 어휘를 확인하고 다양한 배경지식을 넓힙니다.

친구들과 약속해요!

우리 같이 약속해요!

첫째, 하루하루 빠짐없이 꾸준히 공부하기!

둘째, 하루 독해 문제 끝까지 다 풀기!

셋째, 틀린 문제는 왜 틀렸는지 다시 한번 확인하기!

약속하는 사람 _____

쉽고 재미있는
『똑똑한 하루 독해』로
독해 공부를 시작해 봐요.

똑 똑 한

하루
독해

NYANGI

4 단계
A
3~4학년

1주

1주에는 무엇을 공부할까? ❷

1-1 다음 문장을 알맞게 이해한 친구를 골라 ◯표를 하세요.

> 작은 봉지에 엄청난 길이의 면발을 넣으려면 꼬불꼬불한 모양이 유리하겠지?

라면 봉지에 넣기에는 면발이 꼬불꼬불한 것이 더욱 좋다는 뜻이야.

라면 봉지에 넣기에는 면발이 꼬불꼬불한 것이 더욱 좋지 않다는 뜻이야.

(1) (   )   (2) (   )

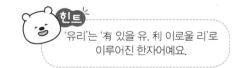

힌트
'유리'는 '有 있을 유, 利 이로울 리'로 이루어진 한자어예요.

1-2 빈칸에 들어갈 낱말로 알맞은 것에 ◯표를 하세요.

벼농사를 짓기에   한 조건은 무엇인가요?

(유리 , 유명)

▶ 정답 및 해설 8쪽

2-1 다음 밑줄 그은 낱말의 뜻을 찾아 ○표를 하세요.

고추밭을 <u>매다가</u>
엄마얏! 지렁이
명아주 뿌리에 끌려 나와
몸부림치는 지렁이

(1) 논밭에 난 잡풀을 뽑다가. ( )
(2) 어깨에 걸치거나 올려놓다가. ( )

2-2 다음 빈칸에 들어갈 낱말을 보기 에서 골라 쓰세요.

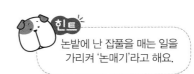

힌트
논밭에 난 잡풀을 매는 일을
가리켜 '논매기'라고 해요.

보기
매고   메고

농부들이 잡초를 뽑으며 논을 _____ 있습
니다.

1일 이야기 (문학)

괜찮아, 괜찮아

공부한 날   월   일

⭐ 이야기에 나오는 인물을 파악하자!

이야기 「괜찮아, 괜찮아」를 읽으며 어떤 인물이 나오는지 살펴보세요.

그리고 그 인물이 하는 말과 행동을 바탕으로 하여 인물의 특징을

정리해 보세요.

● 오늘 공부할 글의 그림을 미리 보고, 빈칸에 알맞은 낱말을 각각 찾아 쓰세요.

무릎　　어깨　　놀려　　지켜

'나'와 '녀석'은 약국에 가려고 함께 나왔다가 서로 헤어지게 되었어요. '나'는 자

신을 찾고 있는 '녀석'을 발견하고 뒤따랐지요. 그런데 '녀석'이 어떤 아저씨와 부

딪쳐 ❶ [　　　] 을 다쳤어요. '나'는 겁먹은 '녀석'을 ❷ [　　　] 주려고 크

└→ 허벅지와 종아리 사이에 앞쪽으로 둥글게 튀어나온 부분.

└→ 안전 따위를 침해당하지
않도록 보호하여.

게 짖었지요. 다시 만나게 된 '나'와 '녀석'은 어떻게 되었을까요?

이야기 「괜찮아, 괜찮아」 전체 보기

괜찮아, 괜찮아

박연우

스스로 독해

이 글의 '나'는 누구일까요? 점선 부분을 따라 선을 그으며 읽어 보고 '나'의 특징을 정리해 보세요.

녀석은 펑펑 울면서 내 뒤를 따라오고 있었어. 다친 무릎으로 계속 뛰어오고 있었던 거야. 내가 멈춰 서자 녀석의 걸음도 느려졌어. 녀석은 두 손으로 눈물을 훔쳐 내며 나를 바라보고 있었어.

'계속 따라오려나?'

"월월 월."

느리게 갈 테니 천천히 따라오라고 말해 줬어. 사람들은 신기한 구경을 하듯 우리를 바라봤어. 그중엔 걱정 어린 시선들도 존재했어. 하지만 걱정 마. ㉠이 녀석은 내가 지켜 줄게. 집으로 데려다줄 거야.

"왈 왈왈."

녀석을 돌아보며 얼마 남지 않았다고 크게 소리쳤어. 그러곤 다시 뛰었어. 녀석도 당연히 뒤따라왔지. 이상하게 코끝이 간지러웠어. 녀석이 다쳐서 울고 있는데도 불안하지 않았어. 다리는 날아갈 듯 가벼웠어. 어디선가 따뜻한 바람이 불어오는 기분이었어. 나는 바람을 가르며 힘차게 달려 나갔어.

꼬리가 저절로 흔들렸어.

어휘 풀이

▼ **무릎** 허벅지와 종아리 사이에 앞쪽으로 둥글게 튀어나온 부분. 예 할머니께서 무릎이 아프다고 하셨다.

▼ **훔쳐** 물기나 때 따위가 묻은 것을 닦아 말끔하게 해. 예 더워서 손수건으로 땀을 훔쳐 내었다.

▼ **지켜** 재산, 이익, 안전 따위를 잃거나 침해당하지 않도록 보호하거나 감시하여 막아.
예 개는 낯선 사람이 오면 시끄럽게 짖어 집을 잘 지켜 준다.

1
이해

이 글에 나오는 '녀석'에 대한 설명으로 알맞지 <u>않은</u> 것은 무엇인가요? (   )

① 무릎을 다쳤다.   ② 펑펑 울고 있다.

③ '나'를 찾지 못하고 있다.   ④ '나'의 뒤를 따라가고 있다.

⑤ '내'가 멈춰 서면 걸음이 느려진다.

1주
1일

2
이해

서술형

㉠에 나타난 '나'의 마음은 무엇인지 쓰세요.

'녀석'을 지켜 주고 싶고, _____

_____ 싶다.

3
유추

스스로 독해 해결!

'나'는 누구인지 알맞게 짐작한 것에 ○표를 하세요.

(1) "월월 월.", "왈 왈왈." 하며 소리쳤고, 꼬리가 저절로 흔들렸다는 것으로 보아 말일 것이다. (   )

(2) "월월 월.", "왈 왈왈." 하며 소리쳤고, 꼬리가 저절로 흔들렸다는 것으로 보아 강아지일 것이다. (   )

힌트
"월월 월.", "왈 왈왈." 하는 소리를 내고, 꼬리가 달린 동물이 누구인지 생각해 보아요.

4
요약

이 글의 내용을 정리하여 빈칸에 알맞은 말을 각각 쓰세요.

'녀석'이 펑펑 울면서 '나'의 뒤를 따라왔다. '내'가 멈춰 서자 ❶ _____ '의

걸음도 느려졌다. 사람들이 신기한 ❷ _____ 을 하듯 '나'와 '녀석'을 바라

보았다. '나'는 코끝이 간지러웠다. 그리고 ❸ _____ 가 날아갈 듯 가벼웠

다. 힘차게 달려 나가는 '나'의 꼬리가 저절로 흔들렸다.

1 다음 문장에서 밑줄 그은 낱말과 뜻이 비슷한 말을 각각 찾아 선으로 이으세요.

(1) 느리게 갈 테니 천천히 따라 오라고 말해 줬어.   •

• ① 눈길

(2) 그중엔 걱정 어린 시선들도 존재했어.   •

• ② 서서히

(3) 나는 바람을 가르며 힘차게 달려 나갔어.   •

• ③ 기운차게

2 다음은 모양이 다르지만 읽을 때 소리가 같은 낱말입니다. 빈칸에 '걸음'과 '거름' 중 알맞은 낱말을 쓰세요.

걸음	거름
두 발을 번갈아 옮겨 놓는 동작.	식물이 잘 자라도록 땅을 기름지게 하기 위하여 주는 물질.
㉠ 빠른 걸음으로 걸었다.	㉠ 흙에 거름을 섞었다.

• 내가 멈춰 서자 녀석의 ▭▭▭▭ 도 느려졌어.

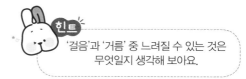

힌트
'걸음'과 '거름' 중 느려질 수 있는 것은 무엇일지 생각해 보아요.

● 「괜찮아, 괜찮아」에 나오는 '나'는 강아지였어요. 그렇다면 다음 시 「언젠가는 나도」에 나오는 '나'는 누구인지 그림에서 찾아 ○표를 하세요.

언젠가는 나도

권영상

언젠가는 나도
늠름한 줄무늬 개구리가 되겠지.
지금은 볼품없는 꽁지로
숨죽여 사는 올챙이지만
언젠가는 나도 굵고 큼직한 목소리로
노래 부를 수 있겠지.
개굴개굴개굴개굴

지금은 좁은 물웅덩이에 갇혀 사는
어린 올챙이지만
언젠가는 나도
더 큰 세상으로 껑충! 뛰어오르는
늠름한 줄무늬 개구리가 되겠지.

 「괜찮아, 괜찮아」에 나오는 '나'의 특징을 찾은 방법을 생각하며 **「언젠가는 나도」에 나오는 '나'는 누구인지** 찾아봅니다.

2일

과학 (비문학)

라면이 꼬불꼬불한 까닭

공부한 날   월   일

글에서 전달하는 정보를 찾으며 읽자!

정보를 전달하는 글을 읽으면 궁금했던 내용이나 새로운 사실을
알 수 있어요. 「라면이 꼬불꼬불한 까닭」에서 어떤 사실을 새롭게 알려 주는지
생각해 보면 전달하려고 하는 정보가 무엇인지 찾을 수 있답니다.

● 오늘 공부할 글과 사진을 미리 보고, 알맞은 낱말을 각각 찾아 표시하세요.

작은 봉지에 엄청난 길이의 면발을 넣으려면 꼬불꼬불한 모양이 유리하겠지? 이처럼 꼬불꼬불한 모양의 면발은 포장을 할 때 부피를 줄이는 효과도 있대.

1 '물건을 싸거나 꾸림. 또는 싸거나 꾸리는 데 쓰는 천이나 종이.'라는 뜻의 낱말을 찾아 ○표를 하세요.

2 '어떠한 것을 하여 얻어지는 좋은 결과.'라는 뜻의 낱말을 찾아 △표를 하세요.

라면에 대해
더 알아보기

라면이 꼬불꼬불한 까닭

스스로 독해

이 글에서 전달하려는 정보는 무엇일까요? 점선 부분을 따라 선을 그으며 읽고 답을 생각해 보세요.

라면을 맛있게 먹으려면 짧은 시간에 끓여 내야 해. 그래야 면발이 덜 붇고 쫄깃하거든. 오래 끓일 경우 면발이 퍼져서 쫄깃한 맛을 즐길 수 없어. 그래서 라면은 대개 ㉠꼬불꼬불한 모양으로 만들어. 곧은 모양보다 꼬불꼬불한 모양이 물에 닿는 부분이 넓어서 빨리 잘 익기 때문이야. 면발을 꼬불꼬불한 모양으로 만들면 빈틈이 생기는데, 그 빈틈으로 뜨거운 물이 들어가서 빨리 잘 익게 되는 거야. 그리고 면발을 튀기는 과정에서도 기름을 흡수하고 말리는 시간을 줄일 수 있어.

이뿐만이 아니야. 라면 면발을 죽 늘어놓으면 엄청나게 길다고 해. 작은 봉지에 엄청난 길이의 면발을 넣으려면 꼬불꼬불한 모양이 유리하겠지? 이처럼 꼬불꼬불한 모양의 면발은 포장을 할 때 부피를 줄이는 효과도 있대.

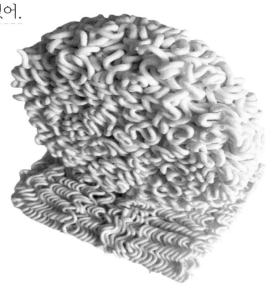

어휘 풀이

▼ **퍼져서** 끓이거나 삶은 것이 불어서 커지거나 잘 익어서. 예 국수가 퍼져서 맛이 없다.

▼ **흡수**│숨 들이쉴 흡 吸, 거둘 수 收│ 빨아서 거두어들임. 예 양념이 고기에 잘 흡수되었다.

▼ **포장**│쌀 포 包, 꾸밀 장 裝│ 물건을 싸거나 꾸림. 또는 싸거나 꾸리는 데 쓰는 천이나 종이.
예 선물을 상자에 담아 정성껏 포장을 하였다.

▼ **부피** 넓이와 높이를 가진 물건이 공간에서 차지하는 크기.
예 가방의 부피가 커서 사물함에 들어가지 않았다.

▼ **효과**│본받을 효 效, 열매 과 果│ 어떠한 것을 하여 얻어지는 좋은 결과.
예 운동을 꾸준히 하면 건강해지는 효과가 있다.

1 라면을 짧은 시간에 끓여 내면 좋은 점을 두 가지 고르세요. (   )

이해

① 면발이 쫄깃하다.　　　　② 면발이 덜 붇는다.

③ 면발이 더 길어진다.　　　④ 면발의 부피가 커진다.

⑤ 면발이 곧은 모양이 된다.

2 서술형

이해 라면을 오래 끓이면 어떻게 되는지 쓰세요.

> 면발이 _____ 즐길 수 없다.

3 다음 중 ㉠의 뜻을 잘 설명할 수 있는 그림은 무엇인지 ◯표를 하세요.

어휘

(1)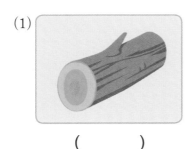

(　　　)

(2)

(　　　)

(3)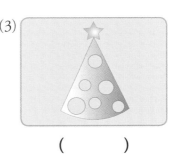

(　　　)

> 힌트
> '꼬불꼬불하다'는 '이리저리 고부라져 있다.'라는 뜻이에요.

4 스스로 독해 해결!

요약 이 글에서 전달하는 정보를 정리하여 빈칸에 알맞은 말을 각각 쓰세요.

> 　라면은 꼬불꼬불한 모양이다. 그래야 라면이 ❶ [   ] 잘 익고, 면발을
>
> 튀기는 과정에서 기름을 ❷ [   ] 하고 말리는 시간을 줄일 수 있으며,
>
> 포장할 때 ❸ [   ] 를 줄일 수 있기 때문이다.

1 다음 설명을 잘 읽고 「라면이 꼬불꼬불한 까닭」의 내용에 알맞은 낱말을 찾아 ◯표를 하세요.

> 붇고 물에 젖어서 부피가 커지고.
>
> ⑩ 북어포는 물에 담가 두어야 잘 붇고 부드러워진다.
>
> 불고 바람이 일어나서 어느 방향으로 움직이고.
>
> ⑩ 바람이 세게 불고 비도 많이 내렸다.

• 라면은 짧은 시간에 끓여 내야 면발이 덜 (붇고 , 불고) 쫄깃하다.

2 다음 문장에서 밑줄 그은 낱말과 같은 뜻으로 쓰인 낱말을 골라 ◯표를 하세요.

> 곧은 모양보다 꼬불꼬불한 모양이 물에 닿는 부분이 넓어서 빨리 잘 <u>익기</u> 때문이야.

(1) 고기가 푹 <u>익기</u>를 기다리며 계속 볶았다.

↳ (   )

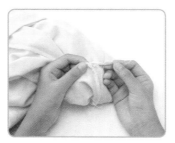

(2) 바느질 솜씨가 손에 <u>익기</u>까지 많이 연습했다.

↳ (   )

힌트
'고기나 채소, 곡식 따위의 날것이 뜨거운 열을 받아 그 성질과 맛이 달라지다.'라는 뜻으로 쓰인 낱말을 찾아보아요.

1주
2일

● 다음 그림의 남자아이는 라면을 끓여 먹기 위해 재료를 사러 가게에 왔어요. 영수증을 보고, 필요한 재료를 모두 산 뒤에 얼마를 거슬러 받아야 하는지 빈칸에 알맞은 숫자를 쓰세요.

 남자아이가 10000원을 냈으므로, 산 물건의 총금액인 8000원을 빼고 남은 돈인

　　　　원을 거슬러 받아야 해요.

 「라면이 꼬불꼬불한 까닭」의 내용을 떠올리며 라면을 끓일 때 필요한 재료를 사고 난 뒤 **얼마를 거슬러 받아야 하는지 뺄셈**을 해 봅니다.

누가 더 놀랐을까

공부한 날   월   일

시를 읽고 말하는 이의 마음을 알아보자!

「누가 더 놀랐을까」는 지렁이와 배추벌레를 본 말하는 이의 마음이 재미있게 나타나 있는 시예요. 시의 표현을 살펴보고 장면을 상상하며 말하는 이의 마음을 알아보세요.

◎ 오늘 공부할 글의 그림을 미리 보고, 빈칸에 알맞은 낱말을 각각 찾아 쓰세요.

| 속아 | 솎아 | 고추밭 | 배추밭 |

시에서 말하는 이는 ❶ ☐☐☐ 을 매다가 지렁이를 발견했어요.
↳ 고추를 심은 밭.

배춧잎을 ❷ ☐☐ 주다가 배추벌레도 발견했지요.
↳ 촘촘히 있는 것을 군데군데 골라 뽑아 성기게 하여.

시에서 말하는 이와 지렁이, 배추벌레 중 누가 더 놀랐을까요?

동시 「누가 더 놀랐을까」 듣기

누가 더 놀랐을까

도종환

스스로 독해

이 시에서 말하는 이는 어떤 마음이 들었을까요? ◯ 속 표현을 색칠하며 말하는 이의 마음을 생각해 보세요.

고추밭을 매다가
㉠ 엄마얏! 지렁이
명아주 뿌리에 끌려 나와
몸부림치는 지렁이

배춧잎을 솎아 주다
㉡ 엄마야, 벌레 좀 봐!
고갱이에 누워 자다
몸을 꼬는 배추벌레

지렁이랑 나랑
누가 더 놀랐을까
배추벌레랑 나랑
누가 더 놀랐을까

어휘 풀이

- **고추밭** 고추를 심은 밭. 예 고추밭에서 고추를 땄다.
- **매다가** 논밭에 난 잡풀을 뽑다가. 예 보리밭을 매다가 잠시 쉬었다.
- **명아주** 잎은 어긋나고 세모꼴의 달걀 모양으로 가장자리에 물결 모양의 톱니가 있는 한해살이풀.
- **솎아** 촘촘히 있는 것을 군데군데 골라 뽑아 성기게 하여.
  예 상추가 잘 자랄 수 있도록 솎아 주었다.
- **고갱이** 풀이나 나무의 줄기 한가운데에 있는 연한 심.
  예 배추 고갱이가 연해서 맛있다.

▲ 명아주

1
이해

이 시에서 말하는 이가 한 일을 두 가지 고르세요. (   )

① 고추밭을 매었다.   ② 명아주를 심었다.

③ 배춧잎을 솎아 주었다.   ④ 배추벌레를 돌보아 주었다.

⑤ 지렁이가 살 곳을 마련해 주었다.

1주 3일

2
이해

서술형

이 시에서 말하는 이가 본 것은 무엇인지 각각 쓰세요.

명아주 뿌리에 끌려 나와 (1) _____와 배추

고갱이에 누워 자다 (2) _____를 보았다.

3
유추

㉠과 ㉡을 말할 때 어울리는 표정과 행동은 무엇일지 알맞은 것에 ◯표를 하세요.

(1)

(   )

(2)

(   )

힌트

놀랐을 때 짓는
표정과 하는 행동을
생각해 보아요.

4
요약

스스로 독해 해결!

이 시의 장면과 말하는 이의 마음을 정리하여 빈칸에 알맞은 말을 각각 쓰세요.

시를 읽고 떠올릴 수 있는 장면	말하는 이가 고추밭을 매다가 ❶ _____ 를 발견하고, 배춧잎을 솎아 주다가 ❷ _____ 를 발견하는 장면
말하는 이의 마음	깜짝 ❸ _____ 마음이 들었다.

1 「누가 더 놀랐을까」에 나오는 낱말들을 낱말 사이의 관계에 맞게 정리하려고 합니다. 빈칸에 들어갈 말을 보기 에서 각각 찾아 알맞게 쓰세요.

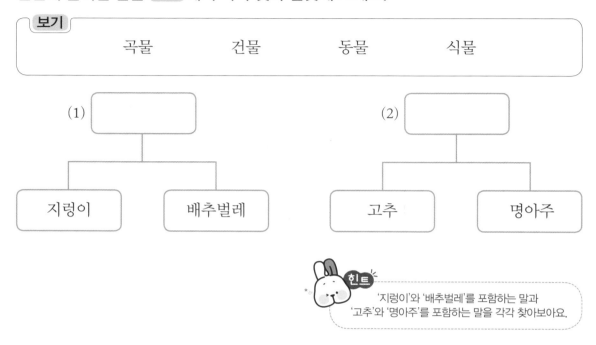

보기

곡물　　　　건물　　　　동물　　　　식물

(1) [　　　]

지렁이　　　배추벌레

(2) [　　　]

고추　　　명아주

힌트

'지렁이'와 '배추벌레'를 포함하는 말과 '고추'와 '명아주'를 포함하는 말을 각각 찾아보아요.

2 다음은 뒤에 '잎'이 붙는 낱말들입니다. 보기 를 보고 어떤 식물의 잎인지 생각하며 빈칸에 알맞은 낱말을 각각 쓰세요.

보기

배춧잎

뜻: 배추의 잎.

(1)

나뭇잎

뜻: [　　　] 의 잎.

(2)

갈댓잎

뜻: [　　　] 의 잎.

○ 「누가 더 놀랐을까」에 나오는 배추벌레는 커서 무엇이 될까요? 다음 만화를 잘 읽고, 문장의 빈칸에 알맞은 낱말을 찾아 쓰세요.

1주
3일

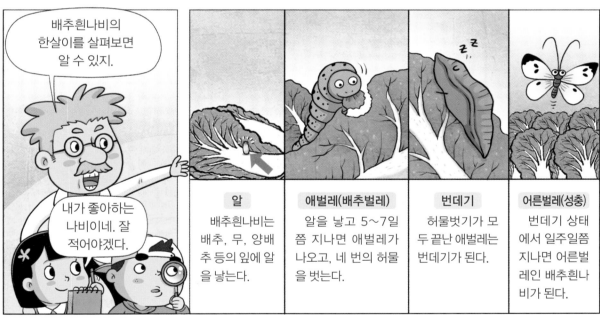

알	애벌레(배추벌레)	번데기	어른벌레(성충)
배추흰나비는 배추, 무, 양배추 등의 잎에 알을 낳는다.	알을 낳고 5〜7일쯤 지나면 애벌레가 나오고, 네 번의 허물을 벗는다.	허물벗기가 모두 끝난 애벌레는 번데기가 된다.	번데기 상태에서 일주일쯤 지나면 어른벌레인 배추흰나비가 된다.

 알에서 나온 배추벌레는 허물을 벗고 번데기가 되었다가 일주일쯤 지나면 어른벌레인 ▨▨▨▨▨▨ 가 돼요.

「누가 더 놀랐을까」에 나온 **배추벌레는 어떤 곤충의 애벌레**인지 만화를 통해 알아봅니다.

'어처구니없다'는 어떤 말일까?

공부한 날   월   일

전체를 여러 부분으로 나누어 설명하는 방법을 알아보자!

「'어처구니없다'는 어떤 말일까?」에는 전체를 여러 부분으로
나누어 설명하는 내용이 있어요. 맷돌의 구조를 알려 주려고
무엇을 어떻게 나누어 설명하였는지 찾으며 읽어 보아요.

● 오늘 공부할 글과 그림을 미리 보고, 알맞은 낱말을 각각 찾아 표시하세요.

이때, 맷돌을 돌릴 때 쓰는 손잡이를 '어처구니'라고 불렀다는 말이 있어요. 맷돌에 곡식을 갈려고 하는데 손잡이가 없으면 어떻게 맷돌을 돌릴 수 있겠어요?

1 '손으로 어떤 것을 열거나 들거나 붙잡을 수 있도록 덧붙여 놓은 부분.'이라는 뜻의 낱말을 찾아 ○표를 하세요.

2 '사람의 식량이 되는 쌀, 보리, 콩, 조, 기장, 수수, 밀, 옥수수 따위를 통틀어 이르는 말.' 이라는 뜻의 낱말을 찾아 △표를 하세요.

'어처구니없다'의 뜻에 대해 알아보기

'어처구니없다'는 어떤 말일까?

스스로 독해

이 글에서 맷돌에 대해 어떤 방법으로 설명하였나요? ◯ 속 낱말을 색칠하며 맷돌을 어떻게 나누어 설명하였는지 살펴보세요.

'어처구니없다'는 '일이 너무 뜻밖이어서 기가 막히는 듯하다.'라는 뜻이에요. '어처구니'가 무엇을 뜻하는지 아직 정확히 밝혀지지는 않았지만 이 말이 맷돌과 관련되어 있지 않을까 짐작하는 사람들이 있어요.

옛날에는 믹서가 없었어요. 그래서 맷돌을 사용했지요. 맷돌은 '수맷돌' 위에 '암맷돌'이 포개져 있어요. 그리고 이 둘을 고정하는 '중쇠'가 있지요. 암맷돌에는 '아가리'라는 구멍이 있는데, 이곳에 콩 같은 알갱이를 넣고 ㉠ 돌리면 곱게 갈려서 암맷돌과 수맷돌 사이로 나오게 된답니다.

이때, 맷돌을 돌릴 때 쓰는 손잡이를 '어처구니'라고 불렀다는 말이 있어요. 맷돌에 곡식을 갈려고 하는데 손잡이가 없으면 어떻게 맷돌을 돌릴 수 있겠어요? 그래서 일이 너무 뜻밖이어서 기가 막히는 듯할 때 '어처구니없다'라는 말을 썼다고 짐작했던 것이지요.

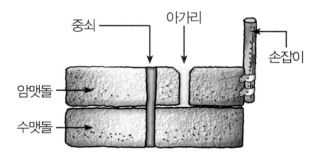

어휘 풀이

▼ **믹서** 과일, 곡물, 야채 따위를 갈거나 이겨 가루 또는 즙을 내는 기계.

▼ **갈려서** 단단한 물건에 문질려져 잘게 부숴지거나 단단한 물건 사이에 넣어져 으깨져서.
예 무를 강판에 문질렀더니 곱게 갈려서 나왔다.

▼ **손잡이** 손으로 어떤 것을 열거나 들거나 붙잡을 수 있도록 덧붙여 놓은 부분.
예 버스에서 심하게 흔들리면 넘어질 수 있으니 손잡이를 꼭 붙잡아야 한다.

▼ **곡식** |곡식 곡 穀, 먹을 식 食| 사람의 식량이 되는 쌀, 보리, 콩, 조, 기장, 수수, 밀, 옥수수 따위를 통틀어 이르는 말. 예 곡식이 잘 익었다.

▲ 믹서

1
이해

'어처구니없다'라는 말의 뜻은 무엇인지 쓰세요.

> 일이 너무 뜻밖이어서 _____

1주
4일

2
이해

스스로 독해 해결!

이 글에서 맷돌에 대하여 설명할 때 사용한 방법으로 알맞은 것에 ○표를 하세요.

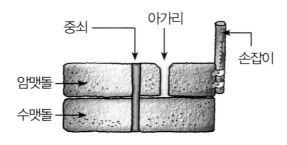

(1) '맷돌'과 '믹서'의 공통점과 차이점을 자세히 설명하였다. (　　　　)

(2) '맷돌'의 구조를 '수맷돌', '암맷돌', '중쇠', '아가리', '손잡이'로 나누어 설명하였다. (　　　　)

3
어휘

　　⊙　　 안에 들어가기에 알맞은 꾸며 주는 말은 무엇인가요? (　　　　)

① 알록달록　　　　② 빙글빙글　　　　③ 팔짝팔짝

④ 옹기종기　　　　⑤ 소곤소곤

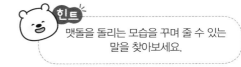

힌트
맷돌을 돌리는 모습을 꾸며 줄 수 있는 말을 찾아보세요.

4
요약

이 글의 내용을 정리하여 빈칸에 알맞은 말을 각각 쓰세요.

'어처구니'의 뜻 짐작하기	무엇을 뜻하는지 아직 정확히 밝혀지지 않았지만 ❶　　　　　　의 손잡이를 불렀던 말이라고 짐작하는 사람들이 있다.
'어처구니없다'라는 말이 나온 까닭 짐작하기	손잡이가 없으면 맷돌을 돌릴 수 없기 때문에 일이 너무 ❷　　　　　　이어서 기가 막히는 듯할 때 '어처구니없다'라는 말을 썼을 것이다.

1 다음 설명을 잘 읽고 「'어처구니없다'는 어떤 말일까?」의 내용에 알맞은 낱말을 찾아 각각 ○표를 하세요.

> | 어떡해 | '어떻게 해'가 줄어든 말. |
> | 예 같이 놀기로 약속해 놓고 네가 그냥 가면 나는 <u>어떡해</u>. |
> | 어떻게 | 생각, 느낌, 형편, 상태 따위가 어찌 되어 있게. |
> | 예 이 일을 <u>어떻게</u> 처리하지? |

(1) 손잡이가 없으면 맷돌을 돌릴 수 없는데 (어떡해 , 어떻게).

(2) 손잡이가 없으면 (어떡해 , 어떻게) 맷돌을 돌릴 수 있겠어요?

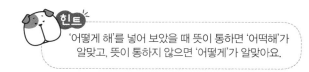

힌트
'어떻게 해'를 넣어 보았을 때 뜻이 통하면 '어떡해'가 알맞고, 뜻이 통하지 않으면 '어떻게'가 알맞아요.

2 다음 문장에서 밑줄 그은 낱말과 같은 뜻으로 쓰인 낱말을 골라 ○표를 하세요.

> '아가리'에 콩 같은 알갱이를 넣고 돌리면 <u>곱게</u> 갈려서 암맷돌과 수맷돌 사이로 나오게 된답니다.
> ↳ 가루나 알갱이 따위가 아주 잘게.

(1) 밀가루를 체에 쳐서 <u>곱게</u> 만들었다.
↳ (   )

(2) 가을이 되자 단풍이 <u>곱게</u> 물들었다.
↳ (   )

▶ 정답 및 해설 11쪽

● 옛날과 오늘날에 부엌에서 주로 사용하는 도구는 어떻게 다른지 더 알아볼까요? 다음 그림에서 음식 재료로 가려진 곳에 들어가기에 알맞은 조각을 보기 에서 찾아 각각 기호를 쓰세요.

보기
ㄱ 가마솥   ㄴ 전기밥솥   ㄷ 개다리소반   ㄹ 식탁

옛날 / 아궁이 / 맷돌

오늘날 / 믹서 / 가스레인지

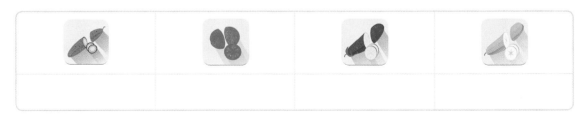

「'어처구니없다'는 어떤 말일까?」에서 옛날에는 맷돌을 썼고, 오늘날에는 믹서를 쓴다고 설명한 내용을 생각하며 **옛날과 오늘날에 부엌에서 주로 사용하는 도구**는 어떻게 다른지 구분해 봅니다.

5일

생활 속 독해

숟가락 실로폰 만들기

공부한 날   월   일

그림을 보여 주는 까닭을 생각하며 읽자!

「숟가락 실로폰 만들기」를 읽고 그림을 왜 보여 주는지 생각해 보세요.
그림의 내용과 그림이 있어서 좋은 점을 생각하며 읽어 보면
그림을 보여 주는 까닭을 알 수 있답니다.

● 오늘 공부할 글의 사진을 미리 보고, 빈칸에 알맞은 낱말을 보기 에서 각각 찾아 쓰세요.

1주
5일

보기

간격   순서   준비

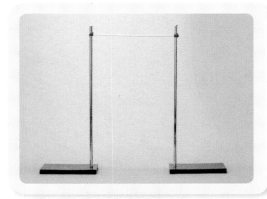

❶

미리 마련하여 갖춤.
⑩ 숟가락 실로폰을 만들기 위해 필요한 재
료를 ○○했다.

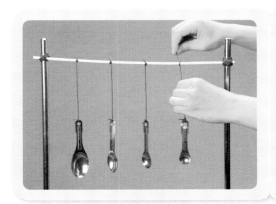

❷

공간적으로 벌어진 사이.
⑩ 계량스푼을 매달 때 ○○을 일정하게 해
야 한다.

❸

정하여진 기준에서 말하는 전후, 좌우, 상하
따위의 차례 관계.
⑩ 계량스푼을 길이 ○○대로 매달아야 한다.

숟가락 실로폰으로 소리 내는 방법을 더 알아보기

숟가락 실로폰 만들기

스스로 독해

이 글에 나타난 그림은 무엇을 이해하는데 도움을 줄까요? 점선 부분을 따라 선을 그으며 읽고 답을 생각해 보세요.

다음 그림을 보면 숟가락 실로폰을 만드는 방법을 쉽게 알 수 있어요.

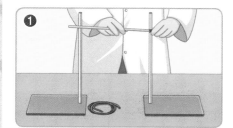

❶ 스탠드 두 개에 막대기를 고정합니다.

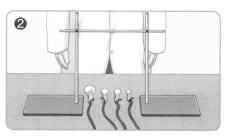

❷ 계량스푼 네 개를 준비하고, 계량스푼에 각각 실을 묶습니다.

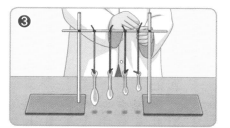

❸ 계량스푼 사이를 일정한 간격으로 띄우고, 길이 순서대로 막대기에 매답니다.

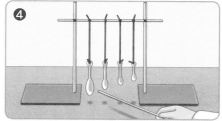

❹ 젓가락으로 작고 짧은 계량스푼을 치면 높은 소리, 크고 긴 계량스푼을 치면 낮은 소리가 납니다.

어휘 풀이

▾ **계량**|꾀할 계 計, 헤아릴 량 量|**스푼** 조리를 할 때에 가루나 조미료, 액체 따위의 용량을 재는 기구. 예 계량스푼으로 설탕의 양을 쟀다.

▾ **준비**|법도 준 準, 갖출 비 備| 미리 마련하여 갖춤. 예 소풍 갈 준비를 끝냈다.

▾ **간격**|사이 간 間, 막을 격 隔| 공간적으로 벌어진 사이. 예 옆 사람과의 간격을 좁히자.

▾ **순서**|순할 순 順, 차례 서 序| 정하여진 기준에서 말하는 전후, 좌우, 상하 따위의 차례 관계. 예 키가 큰 순서대로 줄을 섰다.

▲ 계량스푼

1 스스로 독해 해결!

이해

이 글에서 제시한 그림이 하는 역할은 무엇인가요? (   )

① 숟가락 실로폰을 파는 장소를 쉽게 알려 준다.

② 숟가락 실로폰이 사라진 까닭을 쉽게 알려 준다.

③ 숟가락 실로폰을 만드는 방법을 쉽게 알려 준다.

④ 숟가락 실로폰을 만드는 데 걸린 시간을 정확히 알려 준다.

⑤ 숟가락 실로폰과 일반 실로폰의 소리가 어떻게 다른지 정확히 알려 준다.

1주
5일

2 서술형

이해

스탠드에 고정한 막대기에 계량스푼을 매달 때 주의할 점은 무엇인지 쓰세요.

계량스푼 사이를 _____, 길이 순서대로
막대기에 매단다.

3

유추

다음 그림에서 젓가락으로 쳤을 때 가장 높은 소리가 나는 계량스푼은 무엇일까요? (   )

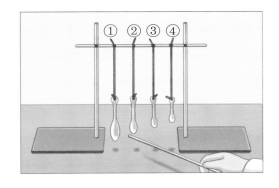

힌트
높은 소리를 내려면
계량스푼의 크기가 작고
길이가 짧아야 해요.

4

요약

이 글을 읽고 숟가락 실로폰을 만드는 방법을 차례대로 정리하여 빈칸에 알맞은 말을 각각 쓰세요.

스탠드 두 개에 막대기 ❶ _____ 하기 → 계량스푼 네 개에 각각 ❷ _____

묶기 → 일정한 간격을 유지하면서 계량스푼을 길이 순서대로 막대기에 매

달기 → 숟가락 실로폰을 완성한 뒤 ❸ _____ 으로 계량스푼 치기

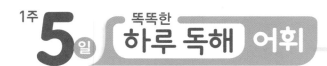

1 다음 낱말의 뜻을 잘 읽고 「숟가락 실로폰 만들기」의 내용에 맞게 빈칸에 '묵는다'와 '묶는다' 중 알맞은 낱말을 쓰세요.

묵는다	묶는다
일정한 곳에서 나그네로 머무른다.	끈, 줄 따위를 어떤 사람이나 사물에 단단히 잡아맨다.
예 캠핑장에서 텐트를 치고 <u>묵는다</u>.	예 실험을 위해 사과에 끈을 <u>묶는다</u>.

• 계량스푼에 각각 실을 　　　　　.

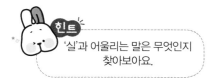
힌트
'실'과 어울리는 말은 무엇인지 찾아보아요.

2 다음 낱말은 무엇과 무엇을 아울러 이르는 말인지 보기 에서 알맞은 낱말을 각각 찾아 쓰세요.

보기

막대기	숟가락	스탠드	젓가락

수저　　　=　　　(1)　　　+　　　(2)

▶ 정답 및 해설 12쪽

● 「숟가락 실로폰 만들기」에서 실로폰을 만들어 보았지요. 실로폰은 두드려서 소리를 내는 타악기예요. 실로폰과 같은 방법으로 소리를 내는 악기들을 찾으며 길을 따라가 보세요.

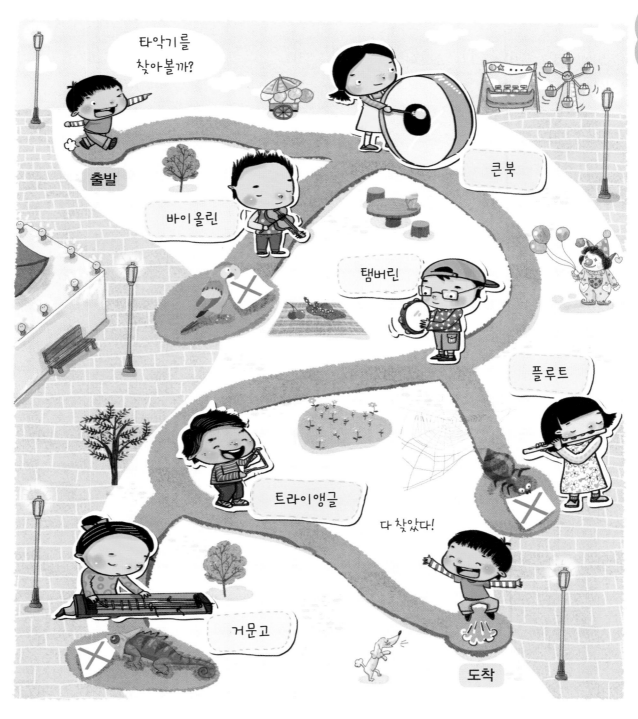

 「숟가락 실로폰 만들기」의 **실로폰과 같은 방법으로 소리를 내는 타악기**에 대하여 알아보며 길 찾기 게임을 해 봅니다.

[1~3] 다음 글을 읽고, 물음에 답하세요.

녀석은 펑펑 울면서 내 뒤를 따라오고 있었어. 다친 ㉠무릎으로 계속 뛰어오고 있었던 거야. 내가 멈춰 서자 녀석의 ㉡걸음도 느려졌어. 녀석은 두 손으로 눈물을 훔쳐 내며 나를 바라보고 있었어.

'계속 따라오려나?'

"월월 월."

느리게 갈 테니 천천히 따라오라고 말해 줬어. 사람들은 신기한 구경을 하듯 우리를 바라봤어. 그중엔 걱정 어린 시선들도 존재했어. 하지만 걱정 마. 이 녀석은 내가 지켜 줄게. 집으로 데려다줄 거야.

"왈 왈왈."

1 이 글에서 '내'가 내는 소리는 무엇인지 한 가지 더 찾아 쓰세요.

```
• 월월 월.
• (                    )
```

2 이 글의 '나'는 무엇인가요? (   )

① 엄마   ② 아빠
③ 강아지   ④ 고양이
⑤ 어린아이

3 ㉠과 ㉡을 소리 나는 대로 쓰세요.

(1) ㉠ '무릎' [   ]
(2) ㉡ '걸음' [   ]

[4~5] 다음 글을 읽고, 물음에 답하세요.

라면은 대개 꼬불꼬불한 모양으로 만들어. ㉠곧은 모양보다 꼬불꼬불한 모양이 물에 닿는 부분이 ㉡넓어서 빨리 잘 익기 때문이야. 면발을 꼬불꼬불한 모양으로 만들면 빈틈이 생기는데, 그 빈틈으로 뜨거운 물이 들어가서 빨리 잘 익게 되는 거야. 그리고 면발을 튀기는 과정에서도 기름을 흡수하고 말리는 시간을 ㉢줄일 수 있어.

4 라면을 꼬불꼬불한 모양으로 만드는 까닭을 두 가지 고르세요. (   )

① 더 맛있어 보이기 때문에
② 면발이 빨리 잘 익기 때문에
③ 적은 양으로 배부른 느낌을 주기 때문에
④ 곧은 모양으로 만드는 게 더 어렵기 때문에
⑤ 면발이 기름을 흡수하고 말리는 시간을 줄일 수 있기 때문에

5 ㉠~㉢과 뜻이 반대인 낱말을 각각 찾아 선으로 이어 보세요.

(1) ㉠ •   • ① 굽은
(2) ㉡ •   • ② 늘릴
(3) ㉢ •   • ③ 좁아서

[6~7] 다음 시를 읽고, 물음에 답하세요.

> 고추밭을 매다가 / 엄마얏! 지렁이
> 명아주 뿌리에 끌려 나와
> 몸부림치는 지렁이
>
> 배춧잎을 솎아 주다
> 엄마야, 벌레 좀 봐!
> 고갱이에 누워 자다
> 몸을 꼬는 배추벌레
>
> 지렁이랑 나랑 / 누가 더 놀랐을까
> 배추벌레랑 나랑 / 누가 더 놀랐을까

6 이 시에서 말하는 이가 본 것 두 가지에 ○표를 하세요.

(지렁이 , 송충이 , 배추벌레)

7 말하는 이의 마음은 어떠한가요? (   )

① 기쁜 마음   ② 놀란 마음

③ 슬픈 마음   ④ 지루한 마음

⑤ 자랑스러운 마음

[8~9] 다음 글을 읽고, 물음에 답하세요.

> 맷돌을 돌릴 때 쓰는 손잡이를 '어처구니'라고 불렀다는 말이 있어요. 맷돌에 곡식을 갈려고 하는데 손잡이가 없으면 어떻게 맷돌을 돌릴 수 있겠어요? 그래서 일이 너무 뜻밖이어서 기가 막히는 듯할 때 ㉮'어처구니 없다'라는 말을 썼다고 짐작했던 것이지요.

8 맷돌의 구조에서 '어처구니'라고 불렀다는 말이 있는 곳은 어디인지 기호를 쓰세요.

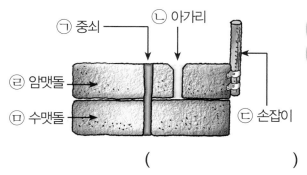

(   )

9 다음 중 ㉮의 뜻을 골라 기호를 쓰세요.

> ㉠ 일이 너무 뜻밖이어서 기가 막히는 듯하다.
> ㉡ 자기가 하고도 하지 않은 체하거나 알고 있으면서도 모르는 체하다.

(   )

10 젓가락으로 쳤을 때 가장 낮은 소리가 나는 계량스푼은 무엇인가요? (   )

> 젓가락으로 작고 짧은 계량스푼을 치면 높은 소리, 크고 긴 계량스푼을 치면 낮은 소리가 납니다.

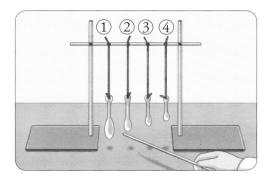

창의

1 다음 만화를 읽고, 1주차에서 배운 낱말을 떠올려 어휘 퀴즈에 알맞은 낱말을 빈칸에 각각 쓰세요.

4단계-Ⓐ • 045

어휘 퀴즈

❶ '잎은 어긋나고 세모꼴의 달걀 모양으로 가장자리에 물결 모양의 톱니가 있는 한해살이풀.'을 뜻하는 말은? →

❷ '넓이와 높이를 가진 물건이 공간에서 차지하는 크기.'를 뜻하는 말은? →

❸ '○○○○으로 간장의 양을 맞추어 국을 끓였다.'의 빈칸에 들어갈 알맞은 말은?

→

코딩

2 나연이가 라면을 끓여 먹으려고 합니다. 다음 순서대로 라면을 끓이려고 할 때 코딩 카드에 알맞은 숫자를 쓰세요.

물을 끓인다. → 건더기 수프와 분말수프를 넣는다. → 면을 넣는다. → 계란을 넣는다. → 조금 더 끓여 완성한다.

❶ 아래쪽으로 간다. ↓ [　] 칸

❷ 오른쪽으로 간다. → [　] 칸

❸ 위쪽으로 간다. ↑ [　] 칸

❹ 오른쪽으로 간다. → [　] 칸

❺ 아래쪽으로 간다. ↓ [　] 칸

융합

3 「누가 더 놀랐을까」에서 '나'는 지렁이를 보고 깜짝 놀랐어요. 많은 사람들이 지렁이를 징그럽게 생각하며 좋아하지 않지만, 사실 지렁이는 환경을 살리는 땅속 환경 지킴이예요. 다음 만화를 잘 읽고, 빈칸에 알맞은 말을 쓰세요.

 지렁이가 흙을 살리는 동물인 까닭

• 지렁이는 흙을 썩게 하는 물질을 먹고, 흙을 (1)　　　　　지게 만드는 똥을 누면서 흙을 살려요.

• 지렁이는 흙을 골고루 섞어 주고, 흙에 (2)　　　　　를 공급해 주어 흙이 숨 쉴 수 있게 해 주어요.

창의
4 단수 안내를 보고 알맞은 낱말에 각각 ◯표를 하세요.

생활 어휘

단수 안내

1. 단수 일시
20◯◯년 9월 4일~5일

2. 단수 지역
◯◯시 전 지역

3. 단수 사유
일부 수도관에 누수가 생겨 공사할 예정임.

4. 유의 사항
– 단수에 대비하여 수돗물을 충분히 비축해 두어야 함.
– 단수 이후 수돗물 공급 시 녹물이 나올 수 있으므로 주의해서 사용해야 함.

무엇을 안내하는 글인 거지?

물이 나오지 않을 거라는 내용 같은걸?

얘들아!
수돗물의 공급을 (1) (늘릴 , 끊을) 거라고 알려 주는 글이야. 어딘가의 수도관에서 물이 (2) (새고 , 오염되고) 있어서 그것을 막기 위해 수돗물을 잠시 공급하지 못하나 봐. 9월 4일이 되기 전에 수돗물을 미리 (3) (모아 , 검사해) 두는 것이 좋겠어.

어휘 풀이

▾ **단수** | 끊을 단 斷, 물 수 水 | 수돗물의 공급을 끊음. 예 단수가 되어 물이 하나도 나오지 않았다.

▾ **사유** | 일 사 事, 말미암을 유 由 | 일의 까닭. 예 학교에 가지 못한 사유를 밝혔다.

▾ **누수** | 샐 누 漏, 물 수 水 | 물이 샘. 또는 새어 나오는 물. 예 둑 뒷면에 흙을 쌓아 누수를 막았다.

▾ **비축** | 갖출 비 備, 쌓을 축 蓄 | 만약의 경우를 대비하여 미리 갖추어 모아 두거나 저축함.
예 비상 상황이 올 경우를 대비하여 식량을 충분히 비축해 두었다.

1주
특강

창의 5
생활 한자

果(열매 과) 자에 대해 알아보고, 다음 물음에 답하세요.

果 자는 나무 위에 열매가 열린 모습을 그려서 '열매'라는 뜻을 표현한 글자예요.

열매 **과**

(1) 果 자가 들어간 낱말을 알아보고, 한자의 음을 쓰세요.

① 果樹園에 열매가 많이 열렸다.

수 원

힌트
20쪽에서 공부한 '효과'에 쓰인 果(열매 과) 자에 대해 알아보아요.

② 아침마다 신선한 과일로 만든 果實汁을 먹는다.

실 즙

(2) 한자 성어의 뜻을 알아보고, 빈칸에 알맞은 한자를 쓰세요.

욕심을 안 부렸으면 배탈도 안 났을 텐데……

因 果 應 報
인할 **인** 열매 **과** 응할 **응** 갚을 **보**

이전에 행한 선악에 따라 현재의 행복이나 불행이 결정되는 것.

• 혼자 맛있는 것을 먹으려고 욕심을 부리다가 배탈이 난 걸 보니 因 [ ] 應

報 (인과응보)인 것 같다.

2주

2주에는 무엇을 공부할까? ❶

2주에는 무엇을 공부할까? ❷

1-1 밑줄 그은 낱말의 뜻으로 알맞은 것을 골라 ○표를 하세요.

　아무것도 먹지 못해 힘이 없었던 장 발장은 얼마 가지 못해 사람들에게 잡혀 경찰서로 끌려갔다.
　재판 결과, 장 발장에게는 5년의 징역이 <u>선고</u>되었고, 툴롱 감옥에서 감옥살이를 시작했다.

(1) 법정에서 재판장이 판결을 알리는 일.　　　(　　　)

(2) 죄인을 교도소에 가두어 노동을 시키는 형벌.　(　　　)

1-2 빈칸에 들어갈 낱말을 보기 에서 골라 쓰세요.

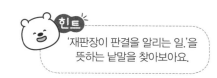
힌트
'재판장이 판결을 알리는 일.'을
뜻하는 낱말을 찾아보아요.

감옥살이 10년 만에 무죄로 밝혀져

　억울하게 누명을 쓰고 징역 20년을 선고받은 김▲▲ 씨가 감옥살이 10년 만에 무죄를 □□ 받았다.

보기

　유죄　　　구속　　　선고

□ □

▶ 정답 및 해설 14쪽

2-1 다음 빈칸에 들어갈 낱말을 골라 ○표를 하세요.

□□□ 예보에 따르면 13호 태풍 '해리' 가 북상하여 우리나라를 강타할 것이라고 합니다.

(1) 통계청 (　　　) 　　(2) 기상청 (　　　) 　　(3) 경찰청 (　　　)

힌트
'기상'이란 바람, 구름, 비, 눈, 더위, 추위 등을 말해요.

2-2 다음 대화를 보고, 친구의 물음에 알맞은 답을 쓰세요.

날씨를 미리 알 수 있다는 게 정말 신기해!

이렇게 날씨를 관측하고 예보하는 일을 맡아보는 곳은 어디게?

□□□

장 발장

인물이 처한 상황을 파악해라!

이야기 「장 발장」을 읽고 인물이 어떤 상황에 처해 있는지 살펴보세요.

인물이 언제 어디에서 어떤 말과 행동을 했는지 살펴보면 알 수 있어요.

인물이 처한 상황을 파악하면 인물의 삶을 더 잘 이해할 수 있어요.

◉ 오늘 공부할 글과 그림을 미리 보고, 알맞은 낱말을 각각 찾아 표시하세요.

　아무것도 먹지 못해 힘이 없었던 장 발장은 얼마 가지 못해 사람들에게 잡혀 경찰서로 끌려갔다.
　재판 결과, 장 발장에게는 5년의 징역이 선고되었고, 툴롱 감옥에서 감옥살이를 시작했다.

1 '죄인을 교도소에 가두어 노동을 시키는 형벌.'이라는 뜻의 낱말을 찾아 ◯표를 하세요.

2 '감옥에 갇히어 지내는 생활.'이라는 뜻의 낱말을 찾아 △표를 하세요.

「장 발장」의 작가 '빅토르 위고'에 대해 알아보기

장 발장

빅토르 위고

고아였던 장 발장은 결혼한 누나 집에 얹혀살았다. 누나의 남편이 병으로 죽자, 장 발장은 남겨진 일곱 명의 조카들을 돌보기 위해 쉬지 않고 일을 했지만, 조카들은 늘 굶주렸다.

그러던 어느 추운 겨울날, 아침밥도 먹지 못하고 일을 나갔던 장 발장이 주린 배를 움켜쥐고 집으로 돌아갈 때였다. 빵 가게 안의 따끈따끈한 빵이 장 발장의 눈에 들어왔다.

'저 빵 한 덩어리면 조카들을 배불리 먹일 수 있을 텐데.'

순간 장 발장은 자신도 모르게 유리창을 깨고 빵 한 덩어리를 들고 도망쳤다. / "도둑이야! 저놈 잡아요!"

주인이 소리를 지르자 지나가던 사람들이 장 발장을 뒤쫓아 왔다. 아무것도 먹지 못해 힘이 없었던 장 발장은 얼마 가지 못해 사람들에게 잡혀 경찰서로 끌려갔다.

재판 결과, 장 발장에게는 5년의 징역이 선고되었고, 툴롱 감옥에서 감옥살이를 시작했다.

'내가 이러고 있으면 안 되는데……. 아이들은 얼마나 배가 고플까? 누나 혼자서는 그 아이들을 다 먹여 살리기가 어려운데. 그래, 탈출을 하자! 그 수밖에 없어.'

어휘 풀이

▼ **고아** | 외로울 고 孤, 아이 아 兒 | 부모를 잃거나 부모에게 버림받아 몸 붙일 곳이 없는 아이.
   예 아버지는 고아로 외롭게 자라셨다.

▼ **징역** | 혼날 징 懲, 부릴 역 役 | 죄인을 교도소에 가두어 노동을 시키는 형벌. 자유형 가운데 가장 무거운 형벌임. 예 다른 사람을 속인 죄로 2년의 징역을 살게 되었다.

▼ **선고** | 베풀 선 宣, 아뢸 고 告 | 법정에서 재판장이 판결을 알리는 일. 예 정당방위로 무죄를 선고받았다.

▼ **감옥** | 볼 감 監, 옥 옥 獄 | **살이** 감옥에 갇히어 지내는 생활. 예 그는 죄를 지어 감옥살이를 했다.

1
어휘

다음 빈칸에 '고아'가 들어가기 알맞은 문장을 찾아 기호에 ◯표를 하세요.

㉮

소녀는 어려서 부모를 잃고 　로 외롭게 자랐다.

㉯

엄마, 아빠, 누나, 나는 한 　　이다.

2
이해

서술형

빵 가게 안의 빵을 보며 장 발장이 생각한 것은 무엇인지 쓰세요.

'저 빵 한 덩어리면 ＿＿＿＿＿＿＿＿＿＿
＿＿＿＿＿＿ 수 있을 텐데.'라고 생각하였다.

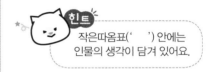
힌트
작은따옴표(' ') 안에는 인물의 생각이 담겨 있어요.

3
이해

빵을 훔친 죄로 장 발장은 어떻게 되었는지 알맞은 것에 ◯표를 하세요.

(1) 감옥살이를 하게 되었다. (　　　)

(2) 빵 가게에서 일을 하게 되었다. (　　　)

(3) 장 발장의 가족까지 모두 벌을 받게 되었다. (　　　)

4
요약

스스로 독해 해결!

장 발장이 처한 상황을 생각하며 글의 내용을 정리하여 빈칸에 알맞은 말을 각각 쓰세요.

　　고아였던 장 발장은 누나 집에 얹혀살며 일곱 명의 ❶ 　　　　　들을 돌보기 위해 쉬지 않고 일했다. 그러던 어느 날, 장 발장은 굶주리는 조카들을 생각하며 빵을 훔치다 잡혀서 ❷ 　　　　　를 하게 되었다. 그러나 누나와 조카들이 걱정된 장 발장은 감옥에서 탈출하기로 마음먹었다.

1 다음 보기 를 보고, 그림에 어울리는 문장이 되도록 '잡았다'와 '잡혔다' 중 알맞은 말을 빈칸에 각각 쓰세요.

보기
- 어부가 물고기를 <u>잡았다</u>.
- 물고기가 어부에게 <u>잡혔다</u>.

- 경찰이 도둑을 (1)   .
- 도둑이 경찰에게 (2)   .

힌트
자신이 직접 행동을 한 것인지, 다른 사람에 의해 그 행동을 당한 것인지 생각해 보세요.

2 다음 빈칸에 알맞은 말을 보기 에서 찾아 낱말을 완성하세요.

보기
타향   감옥   시집

감옥에 갇히어 지내는 생활.

자기 고향이 아닌 고장에서 사는 일.

결혼한 여자가 시집에 들어가서 살림살이를 하는 일.

(1)   살이   (2)   살이   (3)   살이

힌트
'-살이'란 어떤 낱말 뒤에 붙어서 '그런 일을 하면서 사는 것.', '그곳에서 사는 것.'이라는 뜻을 더하는 말이에요.

◎ 장 발장이 훔친 빵은 어떤 빵이었을까요? 다음 내용을 통해 장 발장이 훔친 빵에 대해 자세히 알아보고 알맞게 계산하여 빈칸에 숫자를 쓰세요.

혹시 빵 하나로 '5년 징역'이라는 판결이 너무 심하다고 생각되나요?

장 발장이 훔친 빵은 '깜빠뉴'라고 하는데, 식사용으로 가족끼리 먹는 빵이라고 합니다.

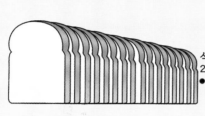

식빵 조각 216개

이 빵은 식사용인 만큼 무게가 최대 5400그램까지 나갑니다. 식빵 한 조각이 약 25그램이라는 것을 생각한다면 엄청난 양이지요?

크기만큼 만들기도 어렵습니다.
반죽에만 3시간 이상이 걸리고, 냉장고에서 숙성시키는 과정을 거쳐 24시간 이상 공을 들여야 만들 수 있는 빵인 것이지요.

 만약 장 발장이 5400그램의 빵을 무사히 훔쳐 달아나 일곱 명의 조카와 장 발장의 누나, 장 발장까지 똑같이 나누어 먹었다면?

[   ] ÷ (7+1+1) 이 되니까 한 명당 [   ] 그램씩 빵을 먹을 수 있었겠네요!

 「장 발장」에서 장 발장이 빵을 훔치게 된 상황을 떠올리며, **장 발장이 훔친 빵**에 대하여 알아보고 알맞게 **계산**을 해 봅니다.

2일 과학 (비문학)
꿀벌은 왜 육각형 모양의 집을 지을까?

공부한 날　　　월　　　일

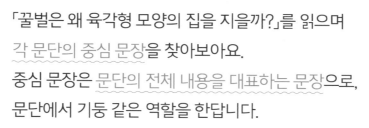을 정리해라!

「꿀벌은 왜 육각형 모양의 집을 지을까?」를 읽으며
각 문단의 중심 문장을 찾아보아요.
중심 문장은 문단의 전체 내용을 대표하는 문장으로,
문단에서 기둥 같은 역할을 한답니다.

● 오늘 공부할 글의 사진을 미리 보고, 빈칸에 알맞은 낱말을 **보기** 에서 각각 찾아 쓰세요.

보기

| 면적 | 구조 | 불순물 | 육각형 |

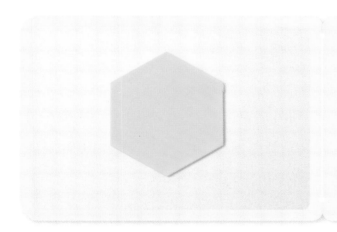

❶

여섯 개의 직선으로 둘러싸인 평면 도형.

㉮ 꿀벌은 ○○○ 모양의 집을 지어요.

❷

순수한 물질에 섞여 있는 순수하지 않은 물질.

㉮ 꿀벌의 집에는 빈틈이 없어야 ○○○이 들어가지 않아요.

❸

부분이나 요소가 어떤 전체를 짜 이룸. 또는 그렇게 이루어진 얼개.

㉮ 벌집 ○○를 이용하여 뼈대를 세운 건물이 있어요.

육각형과 같은 다각형에 대해 알아보기

꿀벌은 왜 육각형 모양의 집을 지을까?

스스로 독해

문단 **㉮**와 **㉯**의 중심 문장은 무엇일까요? 점선 부분을 따라 선을 그으며 읽어 보고 답을 찾아보세요.

꿀벌의 집을 들여다보면 육각형 모양이라는 것을 알 수 있어요. 꿀벌이 육각형 모양의 집을 짓는 까닭은 무엇일까요?

㉮ 첫째, 빈틈이 없어야 하기 때문이에요. 육각형은 서로 잇대어 놓았을 때 빈틈이 ㉠ 없습니다. 그래서 불순물이 들어가지 않고 빈틈없이 붙어 있어 꿀을 꽉 채울 수 있는 육각형을 선택한 거예요. 꿀벌이 원이나 팔각형으로 집을 지었다면 사이사이에 빈틈이 생기겠지요.

㉯ 둘째, 빈틈없이 딱 맞춰지는 도형 중에서 육각형이 가장 넓고 튼튼하기 때문이에요. 삼각형이나 사각형으로 집을 지으면 한 개당 면적이 육각형보다 작아서 많은 꿀을 보관할 수 없어요. 또한, 삼각형은 꿀벌이 드나들기에 불편하고, 사각형은 충격에 약하기 때문에 집으로 만들기 좋은 도형이 아니지요. 그에 비해 육각형으로 지은 집은 위에서 아래로 누르는 힘에 버티는 능력이 대단하답니다.

우리 육각형 집에 가자. 달콤한 꿀도 많아.

이와 같은 벌집 구조는 우리 일상에서도 이용돼요. 건물의 뼈대나 인공위성, 경주용 자동차, 고속 열차 등을 만들 때에도 쓰인답니다.

어휘 풀이

▼ **육각형** |여섯 육 六, 뿔 각 角, 형상 형 形| 여섯 개의 직선으로 둘러싸인 평면 도형.
 예 벌집은 수많은 육각형으로 이루어져 있다.

▼ **불순물** |아닐 불 不, 순수할 순 純, 만물 물 物| 순수한 물질에 섞여 있는 순수하지 않은 물질.
 예 소금을 물에 녹이니 불순물이 많이 가라앉았다.

▼ **구조** |얽을 구 構, 지을 조 造| 부분이나 요소가 어떤 전체를 짜 이룸. 또는 그렇게 이루어진 얼개.
 예 북부 지방의 가옥은 추위를 잘 막아 주는 구조로 이루어져 있다.

1
문법

㉠ 안에 들어갈 말로 알맞은 것은 무엇인가요? (   )

① 설마   ② 전혀   ③ 비록   ④ 만약   ⑤ 어쩌면

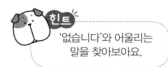

힌트
'없습니다'와 어울리는
말을 찾아보아요.

2
이해

서술형

꿀벌이 집을 원이나 팔각형 모양으로 지었다면 어떻게 되었을지 쓰세요.

_____이 생겼을 것이다.

3
이해

삼각형이나 사각형 모양으로 벌집을 지을 때의 문제점을 각각 찾아 선으로 이으세요.

(1) 삼각형 •   • ① 충격에 약하다.

(2) 사각형 •   • ② 꿀벌이 드나들기에 불편하다.

4
요약

스스로 독해 해결!

문단 ㉮와 ㉯의 중심 문장은 무엇인지 빈칸에 알맞은 말을 각각 쓰세요.

꿀벌은 왜 육각형 모양의 집을 지을까요?

㉮ 첫째, ❶ [   ] 이 없어야 하기 때문이에요.

㉯ 둘째, 빈틈없이 딱 맞춰지는 도형 중에서 ❷ [   ] 이 가장 넓고 튼튼하기 때문이에요.

1 다음 도형의 이름은 무엇인지 빈칸에 알맞은 말을 각각 쓰세요.

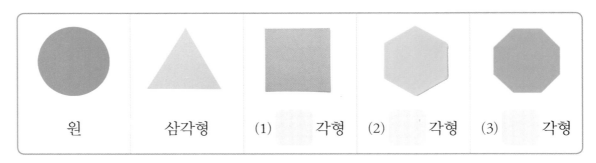

| 원 | 삼각형 | (1) ⬜ 각형 | (2) ⬜ 각형 | (3) ⬜ 각형 |

2 밑줄 그은 낱말과 뜻이 반대인 낱말을 다음 빈칸에 각각 넣어 문장을 완성하세요.

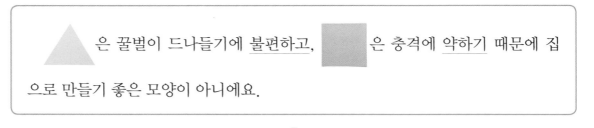

🔺 은 꿀벌이 드나들기에 <u>불편하고</u>, 🟦 은 충격에 <u>약하기</u> 때문에 집으로 만들기 좋은 모양이 아니에요.

⬇

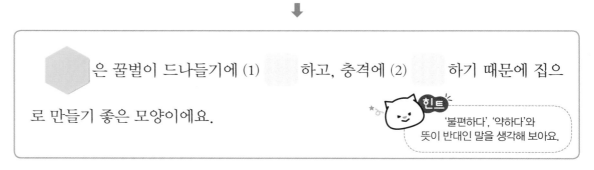

⬡ 은 꿀벌이 드나들기에 (1) ⬜ 하고, 충격에 (2) ⬜ 하기 때문에 집으로 만들기 좋은 모양이에요.

> **힌트**
> '불편하다', '약하다'와
> 뜻이 반대인 말을 생각해 보아요.

3 다음 밑줄 그은 낱말과 바꾸어 쓸 수 있는 말을 보기 에서 찾아 쓰세요.

보기

절약
저장
방지

육각형 모양의 벌집은 많은 꿀을 <u>보관</u>할 수 있어요.

● 꿀벌은 짧은 시간 동안 많은 양의 꿀을 모으기 위해 춤을 추며 서로 의사소통을 한다고
해요. 다음 그림에서 꿀이 있는 위치에 따라 춤이 어떻게 달라지는지 살펴보고, 알맞은
말을 골라 ◯표를 하세요.

2주
2일

 꿀벌은 꿀이 있는 곳이 벌집에서 멀리 떨어져 있으면 (1) (원형 , 8자) 춤을
추고, 춤을 추는 횟수가 적을수록 꿀이 있는 곳이 (2) (멀다 , 가깝다)는 것을 의
미해요.

「꿀벌은 왜 육각형 모양의 집을 지을까?」에서 꿀벌이 육각형 모양의 벌집을 짓는 까닭을 알아보았어요. 그럼 꿀벌이 꿀을 모
으기 위해 **의사소통을 어떻게 하는지**에 대해 더 알아봅니다.

이중섭 편지

공부한 날   월   일

편지에 들어가는 내용을 알아보자!

「이중섭 편지」는 화가 이중섭이 아내와 두 아들에게 쓴 편지예요.

편지에는 받을 사람, 첫인사, 전하고 싶은 말, 끝인사, 쓴 날짜, 쓴 사람이

차례대로 들어가지요.

이 글을 읽으며 편지에 들어갈 내용이 잘 들어가 있는지 알아보아요.

● 오늘 공부할 글의 그림을 미리 보고, 빈칸에 알맞은 낱말을 보기 에서 각각 찾아 쓰세요.

보기

| 왕성 | 활기 | 도서관 | 전시장 |

❶

물품을 차려 놓고 보이는 곳.
㉠ 이중섭은 ○○○에 그림을 걸어 두
고 전시회를 기다렸다.

❷

기운이나 세력이 한창 활발함.
㉠ 이중섭은 그림을 제작하고자 하는
욕구가 더욱 ○○해졌다.

❸

활동력이 있거나 활발한 기운.
㉠ 이중섭은 자신의 아내가 ○○를 되
찾기를 바랐다.

2주
3일

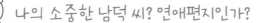

이중섭에 대하여 더 알아보기

이중섭 편지

스스로 독해

편지의 맨 처음과 끝에는 어떤 내용이 들어가야 할까요?
◯ 속 말을 색칠해 보며 어떤 내용이 들어가 있는지 살펴보아요.

⟨나의 소중한 남덕 씨.⟩

잘 지내시나요? 4월 29일, 5월 5일 자 편지와 5월 6일 자 태현이의 편지 모두 기쁘게 받아 보았어요. 이번 답장은 많이 늦어졌어요. ㉠3인전이 시작되고 나서 보내려고 기다리다가 늦어지고 말았으니 이해해 줘요. 3인전은 5월 22일부터 열라고 해서 ▼전시장에 그림을 걸어 두고 기다리는 중이라오. 오늘이 5월 20일이니 이틀 후면 마침내 열리게 되오. 조금 늦어지긴 했지만 건강하게 기다려 줘요. 나는 점점 더 제작욕이 ▼왕성해져 매일 열심히 그린다오. 마음 놓아요.

태현이가 그렇게 훌륭히 편지를 쓸 줄은 꿈에도 몰랐기에 진심으로 감격했다오. 어머님과 당신에게 진심으로 감사드리오. 태현이한테는 아빠가 너무 훌륭하다며 칭찬하더라고 용기를 주세요. 3인전이 끝나면 5월 말경에 서울로 갈 생각이에요. 계속 편지 보낼 테니 마음의 안정을 취하고 건강에 유의하여 하루라도 빨리 ▼활기를 되찾기를 바라오.

5월 20일 ⟨그대의 구촌⟩

이중섭이 그린 ▶ 「길 떠나는 가족」

어휘 풀이

▼**전시장**|펼 전 展, 보일 시 示, 마당 장 場| 물품을 차려 놓고 보이는 곳.
　　예 자동차 전시장에 진열된 자동차들이 화려하고 멋있었다.

▼**왕성**|성할 왕 旺, 성할 성 盛| 기운이나 세력이 한창 활발함. 예 식욕이 왕성해졌다.

▼**활기**|살 활 活, 기운 기 氣| 활동력이 있거나 활발한 기운. 예 새벽 시장은 늘 활기가 넘친다.

1
어휘

㉠ '3인전'에서 '전'이 뜻하는 것을 찾아 ◯표를 하세요.

'모든' 또는 '전체'의 뜻을 나타내는 말. 예 전 국민	(1)

'이전'의 뜻을 나타내는 말. 예 조금 전에 친구를 보았다.	(2)

생선이나 고기, 채소 따위를 얇게 썰거나 다져 양념을 한 뒤, 밀가루를 묻혀 기름에 지진 음식을 통틀어 이르는 말. 예 부추를 넣어 전을 부쳤다.	(3)

'전시회'의 뜻을 더하는 말. 예 할아버지의 서예전이 열렸다.	(4)

2
표현

스스로 독해 해결! 서술형
편지에 들어가는 내용을 살펴보고, 이 글에서 '받을 사람'과 '쓴 사람'에 해당하는 부분을 찾아 쓰세요.

받을 사람 — 첫인사 — 전하고 싶은 말 — 끝인사 — 쓴 날짜 — 쓴 사람

(1) 받을 사람: (   )
(2) 쓴 사람: (   )

힌트
'남덕'은 이중섭 아내의 이름이고,
'구촌'은 이중섭의 호랍니다.

3
요약

이 글에서 편지를 쓴 사람이 받을 사람에게 전하고 싶은 말은 무엇인지 빈칸에 알맞은 말을 각각 쓰세요.

이중섭은 아내에게 곧 열릴 3인전을 기다리고 있으며, 아들 태현이가 훌륭히 ❶   를 쓴 것에 감격하였고, 5월 말경에 ❷   로 갈 것이라고 전하였다.

▶ 정답 및 해설 16쪽

1 뜻이 서로 반대인 낱말끼리 알맞게 짝 지어진 것을 찾아 ○표를 하세요.

(1) 편지 – 답장 (　　　　) 　　(2) 용기 – 응원 (　　　　)

(3) 5월 초 – 5월 말 (　　　　) 　(4) 마침내 – 드디어 (　　　　)

2 날짜를 세는 우리말을 차례에 맞게 보기 에서 찾아 쓰세요.

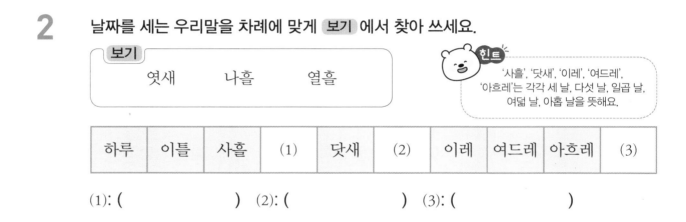

보기
| 엿새 | 나흘 | 열흘 |

힌트
'사흘', '닷새', '이레', '여드레', '아흐레'는 각각 세 날, 다섯 날, 일곱 날, 여덟 날, 아홉 날을 뜻해요.

하루	이틀	사흘	(1)	닷새	(2)	이레	여드레	아흐레	(3)

(1): (　　　　　) 　(2): (　　　　　) 　(3): (　　　　　)

3 밑줄 그은 부분이 다음 대화에서 말한 '–욕'과 같은 뜻으로 쓰인 것을 찾아 번호에 ○표를 하세요.

'제작욕'에서 '–욕'은 무슨 뜻이야?

'–욕'은 '욕구'나 '욕망'의 뜻을 더하는 말이야.

(1) 반신욕
→배꼽 아래를 체온보다 조금 높게 하는 목욕법.

(2) 출세욕
→출세하려는 욕망.

(3) 욕보다
→부끄러운 일을 당하다.

● 다음 이중섭의 그림에서 빠진 퍼즐 조각을 세 가지 찾아 ○표를 하세요. 그리고 퍼즐 조각 위에 쓰인 글자를 빈칸에 차례대로 넣어 이 그림의 제목을 완성하세요.

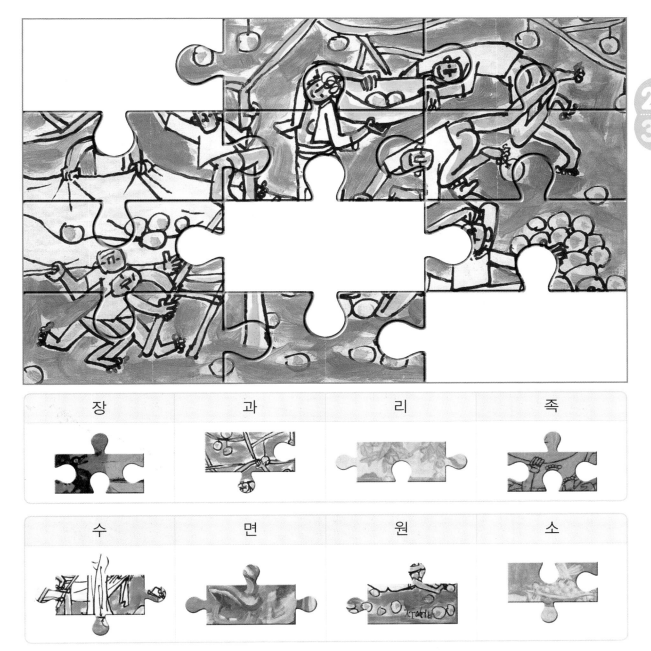

장	과	리	족

수	면	원	소

이 그림의 제목은 「   의 가족과 아이들」이에요.

 「이중섭 편지」에 담긴 이중섭의 마음을 떠올리며, **이중섭이 그린 작품**을 감상하고, **제목을 알아봅니다.**

카파도키아의 동굴 집과 지하 도시

공부한 날 　　월　　일

사실과 의견을 구별하라!

글에는 실제로 있었던 일인 '사실'과 대상에 대한 글쓴이의 생각인 '의견'이
들어 있어요. 같은 사실을 보고도 의견은 서로 다를 수 있지요.
사실과 의견을 구별하며 「카파도키아의 동굴 집과 지하 도시」를 읽어 보아요.

● 오늘 공부할 글의 사진을 미리 보고, 빈칸에 알맞은 낱말을 각각 찾아 쓰세요.

| 미로 | 건물 | 관광객 | 탑승객 |

터키의 카파도키아 지역에는 동굴 집과 지하 도시가 있대요. 바위를 뚫어서

만든 동굴 집과 수십 갈래의 ❶ [ ] 로 이어지는 지하 도시를 보기 위해 세

                                   ↳ 어지럽게 갈라가 져서, 한번 들어가면 다시 빠져나오기 어려운 길.

계 여러 나라에서 ❷ [ ] 들이 몰린다고 해요.

              ↳ 관광하러 다니는 사람.

카파도키아 지하 도시에 대한 영상 보기

카파도키아의 동굴 집과 지하 도시

스스로 독해

글쓴이의 의견이 나타나 있는 문장은 어디일까요? 점선 부분을 따라 선을 그으며 글을 읽어 보고, 사실인지 의견인지 구별해 보아요.

터키의 카파도키아 지역에는 버섯처럼 생긴 바위들이 솟아 있어요. 그런데 좀 더 가까이에서 보면 바위에 구멍이 뚫려 있답니다. 사람들이 바위를 깎아서 굴을 내고, 그 안에 살 곳을 만든 것이지요. 이 동굴 집은 무척 시원해서 덥고 ㉠건조한 이 지역의 집으로 딱 알맞아요.

지금은 사람이 살지 않지만, 호텔이나 식당으로 모습을 바꿔 세계 여러 나라에서 온 관광객들을 맞이하고 있지요.

카파도키아는 지하 도시로도 유명해요. 지하 도시의 입구는 바위를 뚫어서 만들었는데, 아주 좁아서 한 사람이 겨우 들어갈 정도예요. 하지만 그 안에는 몇 만 명이 생활할 수 있는 큰 공간이 숨어 있어요. 그 엄청난 규모에 절로 감탄이 나온답니다.

수십 층으로 이루어진 이 지하 도시는 수십 갈래의 미로로 이어져 있는데 교회, 식당, 창고, 학교, 우물 같은 시설들이 잘 갖추어져 있어요. 지하 도시를 누가 언제 만들었는지는 아무도 몰라요. 다만 로마 시대에 크리스트교를 믿던 사람들이 괴롭힘을 피해 이곳에 숨어 살았을 것이라고 추측하고 있어요.

어휘 풀이

▼ **관광객** | 볼 관 觀, 빛 광 光, 손님 객 客 | 관광하러 다니는 사람.
　예 우리나라에 오는 외국인 관광객이 점차 늘고 있다.

▼ **미로** | 미혹할 미 迷, 길 로 路 | 어지럽게 갈래가 져서, 한번 들어가면 다시 빠져나오기 어려운 길.
　예 끝없이 이어지는 미로에서 길을 잃고 헤매었다.

1
어휘

㉠'건조한'과 뜻이 반대인 낱말은 무엇인가요? (　　　　)

① 더운　　　② 습한　　　③ 시원한
④ 무더운　　⑤ 서늘한

힌트
'건조한'은 '말라서 습기가
없는.'을 뜻해요.

2
이해

서술형

카파도키아에 있는 동굴 집이 이 지역의 집으로 알맞은 까닭은 무엇인지 쓰세요.

동굴 집은 _____ 덥고 건조한 이 지역의 집으로 알맞다.

3
이해

스스로 독해 해결!

다음 중 이 글에서 의견에 해당하는 문장을 찾아 ○표를 하세요.

(1) 그 엄청난 규모에 절로 감탄이 나온답니다. (　　　)

(2) 지하 도시를 누가 언제 만들었는지는 아무도 몰라요.
(　　　)

(3) 사람들이 바위를 깎아서 굴을 내고, 그 안에 살 곳을 만든 것이지요. (　　　)

4
요약

이 글의 중요한 내용을 정리하여 빈칸에 알맞은 말을 각각 쓰세요.

동굴 집
- ❶ ＿＿＿＿＿ 에 구멍을 뚫어서 만듦.
- 덥고 건조한 지역에 알맞음.
- 지금은 호텔이나 식당으로 모습을 바꿈.

카파도키아

❷ ＿＿＿＿＿ 도시
- 바위를 뚫어서 만든 입구는 아주 좁지만 그 안에는 엄청난 규모의 큰 공간이 있음.
- 수십 층으로 이루어져 있고, 수십 갈래의 미로로 이어져 있으며 여러 시설들을 갖춤.
- ❸ ＿＿＿＿＿ 시대에 크리스트교를 믿던 사람들이 숨어 살았을 것이라고 추측함.

1 뜻이 서로 반대인 낱말을 보기 에서 찾아 빈칸에 알맞은 말을 각각 쓰세요.

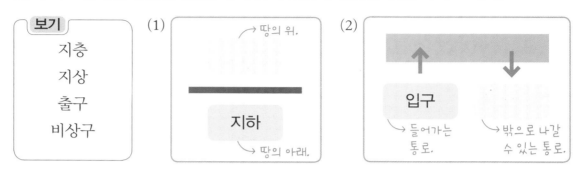

보기
지층
지상
출구
비상구

(1)
→ 땅의 위.

지하
→ 땅의 아래.

(2)
입구
→ 들어가는 통로.
→ 밖으로 나갈 수 있는 통로.

2 다음 낱말의 뜻을 보고, 빈칸에 알맞은 낱말을 각각 찾아 쓰세요.

숭숭
조금 큰 구멍이나 자국이 많이 나 있는 모양.

우뚝
두드러지게 높이 솟아 있는 모양.

(1) 터키의 카파도키아 지역에는 버섯처럼 생긴 바위들이 　　　　　 솟아 있어요.

(2) 그런데 좀 더 가까이에서 보면 바위에 구멍이 　　　　　 뚫려 있답니다.

3 낱말의 뜻을 생각하며 빈칸에 알맞은 말을 각각 쓰세요.

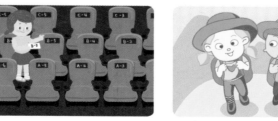

방청하는 사람.

산에 오르는 사람.

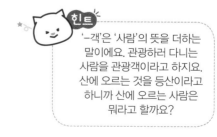

힌트
'-객'은 '사람'의 뜻을 더하는 말이에요. 관광하러 다니는 사람을 관광객이라고 하지요. 산에 오르는 것을 등산이라고 하니까 산에 오르는 사람은 뭐라고 할까요?

➡ (1) 　　　　 객

➡ (2) 　　　　 객

똑똑한 **하루 독해** 게임

재미있는 독해 게임으로 독해력 쑥쑥

▶ 정답 및 해설 17쪽

● 카파도키아의 지하 도시에 놀러 간 듬이와 도기는 지하 도시 속에 있는 우물을 구경해 보고 싶었어요. 듬이와 도기가 우물을 찾아가는 길을 알맞게 선으로 표시하세요.

「카파도키아의 동굴 집과 지하 도시」를 읽고 **지하 도시의 모습을 상상**해 보며 **우물**이 어디 있는지 길을 따라가 봅니다.

태풍 피해 예방 안내문

공부한 날　　　월　　　일

상황에 따른 대처 방법을 살펴봐라!

자연재해가 일어나면 피해를 막기 위해 우리가 해야 할 행동 요령이 있어요.

상황에 따라 우리가 해야 할 행동은 무엇인지 생각하며

「태풍 피해 예방 안내문」을 읽어 보아요.

◉ 오늘 공부할 글의 사진을 미리 보고, 빈칸에 알맞은 낱말을 각각 찾아 쓰세요.

> 방문   동반   강타   피해

강한 폭우와 바람을 ❶ ☐☐ 한 폭풍이 우리나라를 ❷ ☐☐ 할 것이

↘ 어떤 사물이나 현상이 함께 생김.   ↘ 태풍 따위가 거세게 들이침을
빗대어 이르는 말.

라고 해요. 우리 모두 태풍에 ❸ ☐☐ 를 입지 않으려면 어떻게 해야 할지

↘ 생명이나 신체, 재산, 명예 따위에
손해를 입음. 또는 그 손해.

다음 안내문을 읽어 보아요.

태풍에 대하여
더 알아보기

태풍 피해 예방 안내문

스스로 독해

태풍으로 인한 피해를 막으려면 어떻게 해야 할까요? 점선을 따라 선을 그으며 읽어 보고 상황에 따른 대처 방법을 살펴보아요.

기상청 예보에 따르면 13호 태풍 '해리'가 북상하여 우리나라를 강타할 것이라고 합니다. 강한 폭우와 바람을 동반한 '해리'는 7일 새벽, 제주도 서해 해상을 지나 7일 저녁, 수도권에 상륙할 예정이라고 합니다. 태풍 피해를 입지 않도록 ㉠각별히 주의해 주시기 바랍니다.

태풍 피해 예방 방법

모든 유리창은 닫아서 잠그고, 창틀을 고정하여 창문이 깨지지 않도록 합니다.

천둥·번개가 치면 전기 기구 스위치를 끄고, 정전 시에는 화재의 위험이 있으니 양초를 사용하지 않고 손전등을 사용합니다.

낙하물로 인한 피해를 입을 수 있으니 가급적 외출을 삼가도록 합니다.

어휘 풀이

▼ **예보**|미리 예 豫, 갚을 보 報| 앞으로 일어날 일을 미리 알림. 또는 그런 보도. 예 일기 예보.

▼ **태풍**|태풍 태 颱, 바람 풍 風| 북태평양 서남부에서 발생하여 아시아로 불어오는 폭풍우를 동반한 열대 저기압. 예 이번 태풍으로 부상을 당한 사람이 생겼다.

▼ **북상**|북녘 북 北, 위 상 上| 북쪽을 향하여 올라감. 예 태풍이 강풍을 몰고 북상 중이다.

▼ **강타**|강할 강 强, 칠 타 打| 태풍 따위가 거세게 들이침을 빗대어 이르는 말. 예 태풍이 서울을 강타했다.

▼ **동반**|같을 동 同, 짝 반 伴| 어떤 사물이나 현상이 함께 생김. 예 고열을 동반한 감기에 걸렸다.

▼ **낙하물**|떨어질 낙 落, 아래 하 下, 만물 물 物| 높은 데서 낮은 데로 떨어지는 물건. 예 낙하물 조심!

▶ 정답 및 해설 18쪽

1
이해

이 글은 무엇을 안내하는 글인가요? (   )

① 태풍이 발생하는 원인

② 태풍의 이름을 붙이는 방법

③ 태풍 피해를 예방하는 방법

④ 날씨를 예측할 수 있는 방법

⑤ 태풍이 지나간 뒤에 점검할 일

2주
5일

2
어휘

㉠'각별히'와 바꾸어 쓸 수 있는 낱말은 무엇인가요? (   )

① 특별히   ② 조심히   ③ 살며시   ④ 가득히   ⑤ 막연히

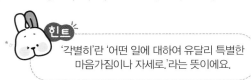

힌트

'각별히'란 '어떤 일에 대하여 유달리 특별한 마음가짐이나 자세로.'라는 뜻이에요.

3
이해

서술형

태풍이 오면 가급적 외출을 삼가야 하는 까닭을 쓰세요.

_____를
입을 수 있기 때문이다.

4
요약

스스로 독해 해결!

태풍 피해를 예방하기 위한 방법을 정리한 것입니다. 빈칸에 알맞은 말을 각각 쓰세요.

• 모든 유리창은 닫아서 잠그고, ❶ _____ 을 고정한다.

• 천둥·번개가 치면 전기 기구 스위치를 끈다.

• 정전이 되면 양초를 사용하지 않고 ❷ _____ 을 사용한다.

• 가급적 외출을 삼간다.

▶ 정답 및 해설 18쪽

1 다음 밑줄 그은 부분 중 알맞은 표현을 찾아 ○표를 하세요.

(1) 도서관에서는 대화를 <u>삼가야</u> 한다. (   )

(2) 도서관에서는 대화를 <u>삼가해야</u> 한다. (   )

> **힌트**
> '꺼리는 마음으로 양이나 횟수가 지나치지 않도록 하다.'라는 뜻의 낱말은 '삼가다'가 바른 표현이에요.

2 다음 빈칸에 알맞은 낱말을 보기 에서 각각 찾아 쓰세요.

> **보기**
>
> 예보   북상   강타   동반   정전

(1) 태풍이 온다는 기상   에 학교가 임시 휴교를 결정하였다.

(2) 번개를   한 비가 하루 종일 내렸다.

3 '북상'과 뜻이 반대인 낱말인 '남하'의 뜻은 무엇일지 빈칸에 알맞은 말을 쓰세요.

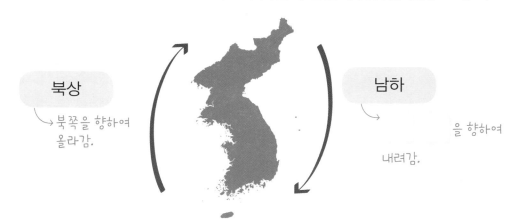

북상
↳ 북쪽을 향하여 올라감.

남하
↳   을 향하여 내려감.

● 다음은 태풍 '해리'가 오기 전과 지나간 뒤의 모습이에요. 태풍이 지나간 뒤에 달라진 점을 태풍이 지나간 뒤의 모습 에서 여섯 군데 찾아 ○표를 하세요.

태풍이 오기 전의 모습

태풍이 지나간 뒤의 모습

태풍이 오기 전과 태풍이 지나간 뒤, 거리의 모습이 어떻게 달라졌는지를 보면 태풍의 위력을 알 수 있습니다. 태풍 피해를 예방하기 위해 왜 노력해야 할지 함께 생각해 봅니다.

[1~3] 다음 글을 읽고, 물음에 답하세요.

> (가) '저 빵 한 덩어리면 조카들을 배불리 먹일
> 수 있을 텐데.'
> 순간 장 발장은 자신도 모르게 유리창을
> 깨고 빵 한 덩어리를 들고 도망쳤다.
> (나) 재판 결과, 장 발장에게는 5년의 징역이
> 선고되었고, 툴롱 감옥에서 감옥살이를 시
> 작했다.
> '내가 이러고 있으면 안 되는데……. 아이
> 들은 얼마나 배가 고플까? 누나 혼자서는
> 그 아이들을 다 먹여 살리기가 어려운데.
> 그래, 탈출을 하자! 그 수밖에 없어.'

1 장 발장에게 일어난 일은 무엇인지 (   ) 안
에 알맞은 말을 쓰세요.

> • (   )을/를 훔친 죄로
> 감옥살이를 하게 되었다.

2 장 발장이 감옥에서 탈출을 결심한 까닭은
무엇인가요? (   )

① 부모님이 보고 싶어서

② 감옥에서 괴롭힘을 당해서

③ 누나와 조카들이 걱정되어서

④ 재판 결과를 인정할 수 없어서

⑤ 감옥에서 제대로 밥을 주지 않아서

3 다음과 같은 뜻을 지닌 낱말을 찾아 쓰세요.

> 어떤 상황이나 구속에서 빠져나옴.

(   )

[4~5] 다음 글을 읽고, 물음에 답하세요.

> 꿀벌의 집을 들여다보면 육각형 모양이라
> 는 것을 알 수 있어요. 꿀벌이 육각형 모양의
> 집을 짓는 까닭은 무엇일까요?
> 첫째, 빈틈이 없어야 하기 때문이에요. 육
> 각형은 서로 잇대어 놓았을 때 빈틈이 전혀
> 없습니다. 그래서 불순물이 들어가지 않고
> 빈틈없이 붙어 있어 꿀을 꽉 채울 수 있는 육
> 각형을 선택한 거예요.

4 꿀벌의 집 모양과 같은 도형은 어느 것인가
요? (   )

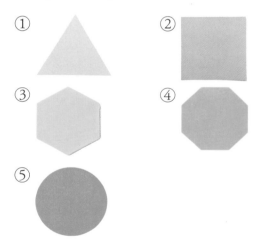

① ② ③ ④ ⑤

5 꿀벌의 집의 특징으로 알맞은 것을 두 가지
고르세요. (   )

① 충격에 약하다.

② 집을 짓기 단순하다.

③ 꿀을 꽉 채울 수 있다.

④ 불순물이 들어가지 않는다.

⑤ 꿀벌이 드나들기에 불편하다.

[6~7] 다음 글을 읽고, 물음에 답하세요.

> 나의 소중한 남덕 씨.
> ㉠잘 지내시나요? 4월 29일, 5월 5일 자 편지와 5월 6일 자 태현이의 편지 모두 기쁘게 받아 보았어요. 이번 답장은 많이 늦어졌어요. 3인전이 시작되고 나서 보내려고 기다리다가 늦어지고 말았으니 이해해 줘요.

6 이 글의 종류는 무엇인가요? (   )

① 시   ② 일기   ③ 편지
④ 동화   ⑤ 희곡

7 ㉠에 해당하는 것은 무엇인지 알맞은 것에 ◯표를 하세요.

> 받을 사람   첫인사   끝인사
> 전하고 싶은 말   쓴 사람

[8~9] 다음 글을 읽고, 물음에 답하세요.

> 카파도키아는 지하 도시로도 유명해요. 지하 도시의 입구는 바위를 뚫어서 만들었는데, 아주 좁아서 한 사람이 겨우 들어갈 정도예요. 하지만 그 안에는 몇 만 명이 생활할 수 있는 큰 공간이 숨어 있어요. ㉠그 엄청난 규모에 절로 감탄이 나온답니다.

8 ㉠에 해당하는 것을 골라 ◯표를 하세요.

(사실 , 의견)

9 카파도키아 지하 도시에 대한 설명으로 알맞은 것을 두 가지 고르세요. (   )

① 입구는 나무로 만들었다.
② 입구가 매우 넓고 웅장하다.
③ 입구는 바위를 뚫어서 만들었다.
④ 지하 도시 안은 한 사람만 겨우 들어갈 수 있다.
⑤ 지하 도시 안은 몇 만 명이 생활할 수 있을 만큼 공간이 크다.

10 다음 태풍 피해 예방 방법을 읽고, 태풍 피해 예방을 알맞게 한 친구의 이름을 쓰세요.

> • 모든 유리창은 닫아서 잠그고, 창틀을 고정하여 창문이 깨지지 않도록 합니다.
> • 천둥·번개가 치면 전기 기구 스위치를 끄고, 정전 시에는 화재의 위험이 있으니 양초를 사용하지 않고 손전등을 사용합니다.

> • 유리창을 닫고 잠그지 않은 동연
> • 정전이 되어 양초를 꺼내 든 유진
> • 천둥·번개가 치자 전기 기구 스위치를 끈 은성

(   )

창의

1 다음 만화를 읽고, 2주차에서 배운 낱말을 떠올려 어휘 퀴즈에 알맞은 낱말을 빈칸에 각각 쓰세요.

2주
특강

🐻 **어휘 퀴즈**

❶ '면이 이차원의 공간을 차지하는 넓이의 크기.'를 뜻하는 말은? →

❷ '○○한 날씨에는 산불이 나기 쉽다.'에서 빈칸에 들어갈 알맞은 말은? →

❸ '어떤 사물이나 현상이 함께 생김.'을 뜻하는 말은? →

코딩

2 세진이가 이중섭 그림 전시회장에 왔어요. 미술 작품을 감상하고 출구로 나가려면 어떤 길로 가야 할지 빈칸에 공통으로 들어갈 숫자를 넣어 코딩 명령을 완성하세요.

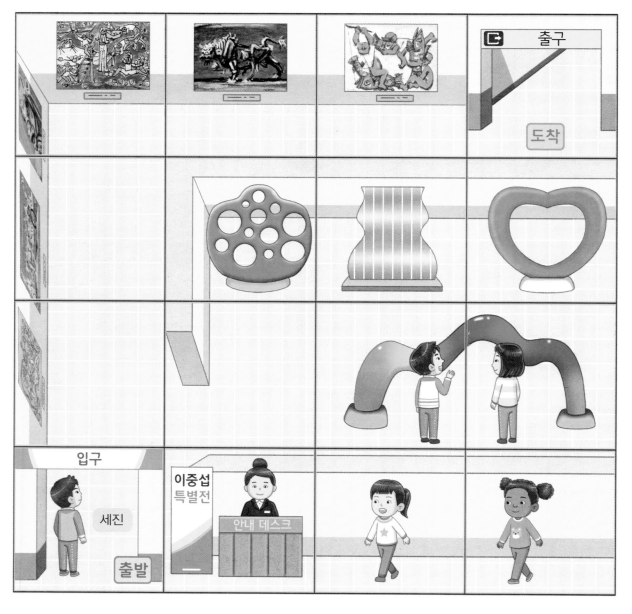

융합

3 우리나라에 큰 피해를 가져다준 태풍으로는 2002년의 태풍 '루사', 2003년의 태풍 '매미' 등이 있어요. '루사', '매미'와 같은 태풍의 이름은 어떻게 붙여지는 것일까요? 다음 선생님의 설명을 잘 읽고 빈칸에 알맞은 말을 쓰세요.

태풍의 이름은 아시아 14개국에서 각각 제출한 낱말 10개, 총 140개의 낱말에 순서를 매겨 차례대로 사용하고 있어요.

2주
특강

2021년의 태풍 이름 순서는 아래와 같아요.

구분	이름	국가	구분	이름	국가
1호	두쥐안	중국	11호	니다	태국
2호	수리개	북한	12호	오마이스	미국(괌)
3호	초이완	홍콩	13호	꼰선	베트남
4호	고구마	일본	14호	찬투	캄보디아
5호	참피	라오스	15호	뎬무	중국
6호	인파	마카오	16호	민들레	북한
7호	츔파카	말레이시아	17호	라이언록	홍콩
8호	네파탁	미크로네시아 연방	18호	곤파스	일본
9호	루핏	필리핀	19호	남테운	라오스
10호	미리내	대한민국	20호	말로	마카오

최근 태풍 9호 루핏이 발생했다면 그다음에 오는 태풍의 이름은 (1)

, 그다음에 오는 태풍의 이름은 (2)   가 돼요.

창의

4

생활 어휘

다음 현수막에 쓰인 내용을 보고 알맞은 말에 각각 ◯표를 하세요.

누구를 찾는다는 것 같은데?

누가 차 사고를 내고 도망을 쳤나 봐!

뺑소니 목격자를 찾습니다

20◯◯년 ◯◯월 ◯◯일 천재초등학교 앞 네거리에서 교문을 들이받고 뺑소니친 흰색 승용차를 목격하신 분은 경찰서로 제보 부탁드립니다.

※ 제보자의 신상과 관련하여 비밀을 지켜 드립니다. ※

▲▲경찰서 교통조사계 ◇◇◇ – □□□□

애들아!

흰색 승용차를 탄 사람이 우리 학교 교문을 들이받고 (1)(신고한 , 도망친) 일이 있었나 봐. 이 사고를 (2)(본 , 당한) 사람은 경찰서로 (3)(정보를 제공해 , 범인을 잡아) 달라고 부탁하고 있어. 반드시 비밀을 지켜 준다고 말이야.

어서 뺑소니 범인이 잡혔으면 좋겠다.

어휘 풀이 --

▽**뺑소니** 급하게 몰래 달아나는 짓.
> 예 뺑소니치는 택시를 눈으로 직접 보았다.

▽**목격자**|눈 목 目, 부딪칠 격 擊, 사람 자 者| 어떤 일을 눈으로 직접 본 사람.
> 예 교통사고 목격자가 없어서 범인을 잡는 데 애를 먹고 있다.

▽**제보**|끌 제 提, 갚을 보 報| 정보를 제공함.
> 예 목격자의 제보로 범인을 잡을 수 있었다.

▽**제보자**|끌 제 提, 갚을 보 報, 사람 자 者| 정보를 제공하는 사람.
> 예 이름을 밝히지 않은 제보자가 범인이 있는 곳을 알려 주었다.

▽**신상**|몸 신 身, 위 상 上| 한 사람의 몸이나 처신, 또는 그의 주변에 관한 일이나 형편.
> 예 부모님께서는 늘 나의 신상을 걱정하신다.

▶ 정답 및 해설 19쪽

창의
5
생활 한자

風(바람 풍) 자에 대해 알아보고, 다음 물음에 답하세요.

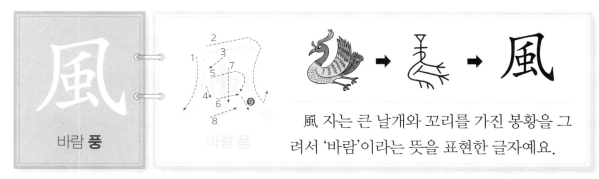

風 자는 큰 날개와 꼬리를 가진 봉황을 그려서 '바람'이라는 뜻을 표현한 글자예요.

(1) 風 자가 들어간 낱말을 알아보고, 한자의 음을 쓰세요.

① 주말 내내 비와 함께 強風이 계속되었다.

강

힌트
80쪽에서 공부한 '태풍'에 쓰인 風(바람 풍) 자에 대해 알아보아요.

② 바람 타고 구름까지 날아오르는 風船을 바라보았다.

선

(2) 한자 성어의 뜻을 알아보고, 빈칸에 알맞은 한자를 쓰세요.

馬 耳 東 風
말 **마**   귀 **이**   동녘 **동**   바람 **풍**

남의 말을 귀담아듣지 않고 지나쳐 흘려버림을 이르는 말.

• 동쪽에서 불어오는 바람은 말의 귀를 스쳐 갈 뿐 말은 아무 관심이 없는 것에서

馬 耳 東 □ (마이동풍)이라는 말이 생겼다.

1-1 다음 문장에 넣을 바른 낱말을 골라 ○표를 하세요.

송 서방에게 양초를 선물받은 다섯 (상투장이 , 상투쟁이)들은 이것이 무엇에 쓰는 물건인지 몰라 동네 훈장님을 찾아가 물어보기로 했어요.

1-2 다음 설명을 읽고 빈칸에 들어갈 알맞은 말을 쓰세요.

우리말에는 어떤 낱말에 '☐☐'를 붙여서 앞 낱말의 특징을 가진 사람을 낮잡아 이르는 말이 있습니다. 그러한 낱말에는 수다쟁이, 내숭쟁이, 고자질쟁이 등이 있습니다.

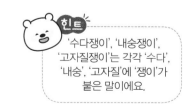

힌트
'수다쟁이', '내숭쟁이', '고자질쟁이'는 각각 '수다', '내숭', '고자질'에 '쟁이'가 붙은 말이에요.

☐☐

▶ 정답 및 해설 20쪽

2-1 다음 밑줄 그은 낱말의 뜻으로 알맞은 것에 ◯표를 하세요.

우주에는 공기가 없기 때문에 태양이 내보내는 빛이 공기에 흡수되지 않고 그대로 우주 비행사에게 가게 되거든. 그래서 태양빛을 <u>반사</u>하는 흰색 우주복을 입는 거야.

(1) 물질이 다른 물질 속으로 들어가는 일.　　（　　　）

(2) 일정한 방향으로 나아가던 음파나 빛 따위가 다른 물체의 표면에 부딪쳐서 나아가던 방향을 반대로 바꾸는 현상.　　（　　　）

2-2 다음 대화를 보고, 빈칸에 들어갈 말을 골라 ◯표를 하세요.

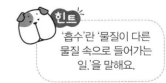

힌트
'흡수'란 '물질이 다른 물질 속으로 들어가는 일.'을 말해요.

（ 반사 , 흡수 ）

양초 도깨비

공부한 날   월   일

⭐이어질 내용을 상상해 보자!

이야기 「양초 도깨비」를 읽고 뒷부분에 이어질 내용을
상상해 보세요.
이어질 내용을 상상할 때에는 인물이 처한 상황을 파악하고,
이야기 앞부분에 나온 내용과 잘 어울리는지 생각해 보세요.

◉ 오늘 공부할 글의 그림을 미리 보고, 빈칸에 알맞은 낱말을 각각 찾아 쓰세요.

붙이고   따갑고   켜는   먹는

훈장님은 뱅어를 말린 것이라며 양초로 국을 끓여 주었고, 이를 먹은 다섯 상투

쟁이들은 목이 ❶ ⬚⬚⬚ 아프다고 하였어요. 이 모습을 본 송 서방은
　　　　　　　　　　　↳ 살을 찌르는 듯이 아픈 느낌이 있고.

양초는 불을 ❷ ⬚⬚ 데 쓰는 물건이라며 양초에 불을 붙였어요. 양초의 쓰
　　　　　　↳ 등잔이나 양초 따위에 불을 붙이거나 성냥이나
　　　　　　　라이터 따위에 불을 일으키는.

임새를 제대로 알게 된 훈장님과 다섯 상투쟁이들은 어떤 생각을 했을까요?

이야기 「양초 도깨비」의 뒷부분 내용 듣기

양초 도깨비

스스로 독해

양초로 끓인 국을 먹은 훈장님과 다섯 상투쟁이들은 어떻게 되었을까요? 점선 부분을 따라 선을 그으며 읽어 보고 이어질 내용을 짐작해 보세요.

앞부분 이야기

송 서방에게 양초를 선물받은 다섯 상투쟁이들은 이것이 무엇에 쓰는 물건인지 몰라 동네 훈장님을 찾아가 물어보기로 했어요. 훈장님은 양초가 뱅어를 말린 것이라고 하며 직접 양초를 넣어 국을 끓여 주었어요. 그런데 이를 먹은 다섯 상투쟁이들은 목이 따갑고 아프다며 무척 고통스러워했어요.

"그것이 먹는 거라니? 누가 그런 어리석은 소리를 했어?"

송 서방은 기가 막히다는 얼굴로 물었습니다.

"누구긴 누구야? 저 영감이 우리더러 무식하니 죽어라, 살아라 하면서 그걸로 국을 끓여 주길래 할 수 없이 먹었지."

㉠훈장님은 얼굴이 홍당무같이 빨개져서 방바닥만 내려다보고 앉아 있었습니다.

"그것은 뱅어가 아니라 불을 켜는 양초라네. 자, 불을 켤 테니 잘 보시게."

송 서방이 성냥불을 그어 불을 붙이니, 주위가 온통 환해졌습니다. 이것을 본 상투쟁이들은 '불을 먹었구나.' 하면서 어쩔 줄을 몰라 했습니다.

어휘 풀이

- **상투쟁이** 상투(예전에, 장가든 남자가 머리털을 끌어 올려 정수리 위에 틀어 감아 맨 것.)를 튼 사람을 놀리듯 부르는 말. ㉀ 상투쟁이가 국밥을 먹으러 주막에 들렀다.
- **뱅어** 뱅엇과의 민물고기. 몸의 길이는 10센티미터 정도이고 가늘며, 반투명한 흰색이고 배에는 작은 흰색 점이 있음.
- **따갑고** 살을 찌르는 듯이 아픈 느낌이 있고. ㉀ 먼지 때문에 목이 따갑고 아팠다.
- **켜는** 등잔이나 양초 따위에 불을 붙이거나 성냥이나 라이터 따위에 불을 일으키는.

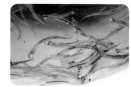

▲ 뱅어

서술형

1
이해

다섯 상투쟁이들이 동네 훈장님을 찾아간 까닭은 무엇인지 쓰세요.

훈장님을 찾아가 _____
위해서이다.

2
유추

㉠의 행동으로 짐작할 수 있는 훈장님의 마음은 무엇인가요? (   )

① 행복하다.   ② 부끄럽다.   ③ 편안하다.

④ 샘이 난다.   ⑤ 자랑스럽다.

스스로 독해 **해결!**

3
유추

이 글에 이어질 내용을 알맞게 짐작하여 말한 친구의 이름에 ○표를 하세요.

다섯 상투쟁이들은 불을 끄기 위해 물을 마시러 갔을 것 같아.

진수

수영

다섯 상투쟁이들은 양초의 쓰임새를 잘못 알려 주었다며 송 서방을 원망했을 것 같아.

힌트
앞부분의 내용과 어울리게 말한 친구를 찾아봐.

4
요약

이 글의 내용을 정리하여 빈칸에 알맞은 말을 각각 쓰세요.

다섯 상투쟁이들은 잘 알지도 못하면서 ❶ _____ 로 국을 끓여 준 훈장님을 원망하였고, 송 서방은 양초는 불을 켜는 데 사용하는 것이라며 직접 양초에 불을 붙였다. 이를 본 다섯 상투쟁이들은 ❷ _____ 을 먹었다고 하면서 어쩔 줄을 몰라 했다.

1 다음 각 낱말에 붙은 '양' 자가 어떤 뜻을 더해 주는지 알맞은 것에 ◯표를 하세요.

> **양초** 서양식의 초. **양약** 서양 의술로 만든 약.
> **양복** 서양식의 의복. **양식** 서양식 음식이나 식사.

(1) 일정한 모양이나 형식. (   )

(2) 세거나 잴 수 있는 분량이나 수량. (   )

(3) 서구식의 또는 외국에서 들어온. (   )

힌트
제시한 낱말들에 공통적으로 어떤 뜻이 더해졌는지 생각해 봐요.

2 다음 밑줄 그은 말의 뜻을 알맞게 말한 친구의 이름에 ◯표를 하세요.

> "그것이 먹는 거라니? 누가 그런 어리석은 소리를 했어?"
> 송 서방은 기가 막히다는 얼굴로 물었습니다.

'어떻다고 말할 수 없을 만큼 좋다.'라는 뜻이야. — 미진

'불쌍한 일을 보고 마음이 아프고 괴롭다.'라는 뜻이야. — 영진

'어떠한 일이 놀랍거나 언짢아서 어이없다.' 라는 뜻 같아. — 지민

3 다음 밑줄 그은 낱말을 소리 나는 대로 쓰세요.

(1) 훈장님은 얼굴이 홍당무같이 빨개져서 방바닥만 내려다보고 앉아 있었습니다.
↳ [   ]

(2) 송 서방이 성냥불을 그어 불을 붙이니, 주위가 온통 환해졌습니다.
↳ [   ]

● 이야기 「양초 도깨비」의 훈장님은 자신과 다섯 상투쟁이들의 국에 똑같이 양초 일곱 조각을 넣었어요. 양초 한 개에 세 조각이 나온다고 할 때 국을 끓일 때 넣은 양초는 모두 몇 개인지 빈칸에 알맞은 숫자를 각각 쓰세요.

 훈장님이 자신과 다섯 상투쟁이들의 국에 양초 조각을 (1)　　개씩 똑같이 넣었으니까 전체 양초 조각은 (2)　　×7=　　개예요. 양초 한 개에 세 조각이 나오니까 국에 넣은 전체 양초의 개수는 (3)　　÷3=　　개예요.

이야기 「양초 도깨비」의 내용을 떠올리며 훈장님이 국을 끓일 때 넣은 **전체 양초의 개수를** 계산해 봅니다.

우주복은 모두 흰색일까?

공부한 날   월   일

장소에 따라 색깔이 다른 우주복을 입는 까닭을 찾아보자!

「우주복은 모두 흰색일까?」를 읽으며 장소에 따라 색깔이

다른 우주복을 입는 까닭을 찾아보세요.

각 문단의 핵심 내용을 찾아 정리하면 된답니다.

똑똑한 하루 독해 미리 보기

● 오늘 공부할 글의 사진을 미리 보고, 빈칸에 알맞은 낱말을 보기 에서 각각 찾아 쓰세요.

보기

| 발사 | 흡수 | 지구 | 우주선 | 우주복 |

❶

우주를 여행할 때에 입도록 만든 옷.
예 대부분의 ○○○이 흰색인 것은 이유가 있다.

❷

활·총포·로켓이나 광선·음파 따위를 쏘는 일.
예 우주선이 ○○될 때 우주선 안에서는 주황색 우주복을 입는다.

❸

태양에서 셋째로 가까운 행성. 인류가 사는 천체로, 달을 위성으로 가짐.
예 우주선이 ○○로 돌아올 때 사고가 발생할 수 있다.

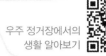

우주 정거장에서의
생활 알아보기

우주복은 모두 흰색일까?

스스로 독해

장소에 따라 색깔이 다른 우주복을 입는 까닭은 무엇일까요? 점선 부분을 따라 선을 그으며 읽어 보고 그 까닭을 찾아보세요.

대부분의 우주복이 흰색인 것은 이유가 있어. 우주에는 공기가 없기 때문에 태양이 내보내는 빛이 공기에 흡수되지 않고 그대로 우주 비행사에게 가게 되거든. 그래서 태양빛을 반사하는 흰색 우주복을 입는 거야. 흰색은 빛을 반사하는 성질이 있으니까 말이야. 만약 빛을 흡수하는 검은색 우주복을 입고 일을 한다면, 아마 뜨거워서 견디지 못하겠지?

㉠ 우주복이 흰색만 있는 건 아니야. 우주선 안에서는 주황색 옷을 입어. 우주선이 발사될 때와 지구로 다시 돌아올 때, 혹시 사고가 나더라도 구조 대원이 쉽게 찾을 수 있도록 눈에 잘 띄는 주황색 우주복을 입는 거지.

어휘 풀이

▼ **우주복** |집 우 宇, 집 주 宙, 입을 복 服| 우주를 여행할 때에 입도록 만든 옷.

▼ **반사** |돌이킬 반 反, 쏠 사 射| 일정한 방향으로 나아가던 음파나 빛 따위가 다른 물체의 표면에 부딪쳐서 나아가던 방향을 반대로 바꾸는 현상.

▼ **우주선** |집 우 宇, 집 주 宙, 배 선 船| 우주 공간을 비행하기 위한 비행 물체.
　　예 우주선을 타고 달에 가는 꿈을 꿨다.

▲ 우주선

▼ **발사** |필 발 發, 쏠 사 射| 활·총포·로켓이나 광선·음파 따위를 쏘는 일.

▼ **지구** |땅 지 地, 공 구 球| 태양에서 셋째로 가까운 행성. 인류가 사는 천체로, 달을 위성으로 가짐.

1
이해

우주에서 태양이 내보내는 빛이 우주 비행사에게 직접 가는 까닭은 무엇인지 빈칸에 공통으로 들어갈 알맞은 말을 쓰세요.

> 우주에는 _____ 가 없기 때문에 태양이 내보내는 빛이
>
> 에 흡수되지 않기 때문이다.

(   )

2
이해

서술형

우주에서 검은색 우주복을 입고 일을 한다면 어떻게 될지 쓰세요.

> 검은색 우주복을 입은 우주 비행사는 _____
>
> _____

3
문법

㉠ 안에 들어갈 이어 주는 말로 알맞은 것은 무엇인가요? (   )

① 또   ② 하지만   ③ 그래서

④ 그리고   ⑤ 왜냐하면

힌트
앞의 내용과 반대되는 내용이 이어질 때 쓰는 이어 주는 말이 무엇인지 생각해 봐요.

4
요약

스스로 독해 해결!

장소에 따라 색깔이 다른 우주복을 입는 까닭을 정리하여 빈칸에 알맞은 말을 각각 쓰세요.

장소	입는 우주복의 색깔	까닭
우주	❶	❷ _____ 이 내보내는 빛을 반사시키기 위해서
우주선 안	주황색	우주선이 발사될 때와 지구로 다시 돌아올 때, 혹시 사고가 나더라도 ❸ _____ 이 쉽게 찾을 수 있도록 하기 위해서

▶ 정답 및 해설 21쪽

1 다음 보기 의 낱말 뜻을 참고하여 (   ) 안에 들어갈 알맞은 낱말에 각각 ○표를 하세요.

> 보기
>
> 띄다 눈에 보이다.   띠다 빛깔이나 색채 따위를 가지다.

(1) 붉은빛을 (띈 , 띤) 꽃이 무척 아름다웠다.

(2) 퍼즐 조각이 눈에 잘 (띄지 , 띠지) 않았다.

2 다음 보기 의 낱말을 '형태가 바뀌는 낱말'과 '형태가 바뀌지 않는 낱말'로 나누어 각각 정리해 보세요.

> 보기
>
> 입어   반사하는   태양   공기
> 뜨거워서   흡수하는   우주복

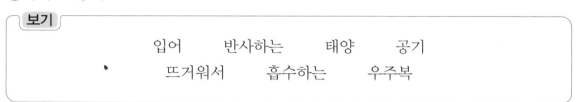

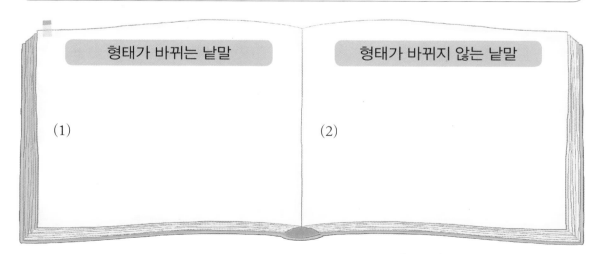

형태가 바뀌는 낱말	형태가 바뀌지 않는 낱말
(1)	(2)

> 힌트
>
> '형태가 바뀌는 낱말'에는 움직임을 나타내는 낱말과 성질이나 상태를 나타내는 낱말이 있어요.

● 흰색 털을 가지고 있는 북극곰은 어떻게 추위를 견딜 수 있을까요? 다음 만화를 읽고 빈칸에 알맞은 말을 각각 쓰세요.

 북극곰이 추위를 견딜 수 있는 까닭은 털은 흰색이지만 피부가 (1)

이라 내리쬐는 햇빛을 흡수하여 몸을 따뜻하게 할 수 있고, 피부 아래에 두꺼운

(2)   이 있어서 체온 손실을 막아 주기 때문이에요.

「우주복은 모두 흰색일까?」의 내용을 떠올리며 북극곰이 추위를 견딜 수 있는 까닭을 알아봅니다.

담요 한 장 속에

인물의 생각을 짐작해 보자!

시 「담요 한 장 속에」를 읽으며 시 속 인물의 생각을 짐작해 보세요.

인물의 생각을 짐작하려면 시 속 상황을 파악하고

인물의 생각이 드러나는 표현이나 행동을 찾으면 된답니다.

◉ 오늘 공부할 글의 그림을 미리 보고, 빈칸에 알맞은 낱말을 각각 찾아 쓰세요.

담요   한참   순간   꿈쩍이며   깜빡이며

'나'와 아버지는 ❶ ☐☐ 한 장을 같이 덮고 자고 있어요. 아버지께서는 잠
→ 순수한 털이나 털에 솜을 섞은 것을 굵게 짜든가 두껍게 눌러서 만든 요.

이 잘 안 오시는지 몸을 ❷ ☐☐☐☐ 뒤척이시고, '나'는 혼자 잠드는
→ 몸을 둔하고 느리게 움직이며.

게 미안해 돌아누웠어요. '나'와 아버지는 같이 잠을 자면서 어떤 생각을 했을까요?

동시
「담요 한 장 속에」
듣기

담요 한 장 속에

권영상

스스로 독해

담요 한 장을 같이 덮고 잠을 자면서 '나'와 아버지는 어떤 생각을 하였을까요? 점선 부분을 따라 선을 그으며 읽어 보고 인물의 생각을 짐작해 보세요.

담요 한 장 속에
아버지와 함께 나란히 누웠다.
한참 만에 아버지가
꿈쩍이며 뒤척이신다.
혼자 잠드는 게 미안해
나도 꼼지락 돌아눕는다.
밤이 깊어 가는데
아버지는 가만히 일어나
내 발을 덮어 주시고
다시 조용히 누우신다.
그냥 누워 있는 게 뭣해
나는 다리를 오므렸다.
아버지— 하고 부르고 싶었다.
그 순간
자냐? 하는 아버지의 쉰 듯한 목소리
—네.
나는 속으로만 대답했다.

어휘 풀이

▼ **담**|담요 담 毯|요 순수한 털이나 털에 솜을 섞은 것을 굵게 짜든가 두껍게 눌러서 만든 요.

▼ **꿈쩍이며** 몸이 둔하고 느리게 움직이며. 또는 몸을 둔하고 느리게 움직이며.

▼ **꼼지락** 몸을 천천히 좀스럽게 움직이는 모양. 예 나는 발가락을 꼼지락 움직였다.

▼ **쉰** 목청에 탈이 나서 목소리가 거칠고 맑지 않게 된. 예 목이 아파 쉰 목소리가 났다.

▲ 담요

1
이해

이 시의 상황을 알맞게 말한 친구의 이름에 ◯표를 하세요.

'나'와 아버지가 담요 한 장을 같이 덮고 잠을 자고 있어.

태영

아버지께서 '나'에게 재미있는 이야기를 들려주고 있어.

다솜

2
이해

서술형

'나'는 몸을 뒤척이시는 아버지를 보고 어떻게 하였는지 쓰세요.

혼자 잠드는 게 미안해서 _____

3
유추

스스로 독해 해결!

다음에서 짐작할 수 있는 아버지의 생각으로 알맞은 것의 기호에 ◯표를 하세요.

아버지는 가만히 일어나
내 발을 덮어 주시고
다시 조용히 누우신다.

㉠ 방이 참 따뜻하구나.
㉡ 잠꼬대 소리에 잠을 잘 수가 없네.
㉢ 감기 들지 모르니 발을 덮어 주어야지.

힌트
아버지의 행동에서 짐작할 수 있는 생각은 무엇인지 찾아봐요.

4
요약

이 시의 내용을 정리하여 빈칸에 알맞은 말을 각각 쓰세요.

아버지와 '내'가 ❶ _____ 한 장을 같이 덮고 나란히 누웠는데 아버지께서는 쉽게 잠을 못 이루셨다. 밤이 깊어 가는데 아버지께서는 가만히 일어나 '나'의 ❷ _____ 을 덮어 주시고 다시 누우셨다. 아버지께서 '나'에게 자냐고 물으셨고, '나'는 속으로만 '네.'라고 대답했다.

3주
3일

▶ 정답 및 해설 22쪽

1 다음 보기 와 같이 ( ) 안에 들어갈 알맞은 흉내 내는 말에 각각 ◯표를 하세요.

> 보기
>
> 나도 (주르륵 , ⟨꼼지락⟩) 돌아눕는다.

(1) 호랑이가 놀라 (팔짝팔짝 , 살금살금) 뛰었다.

(2) 할머니께서 (느릿느릿 , 대롱대롱) 길을 가셨다.

2 다음 빈칸에 들어갈 알맞은 낱말을 보기 에서 각각 찾아 쓰세요.

> 보기
>
> 필   말이나 소를 세는 말.
>
> 대   차, 기계, 악기 따위를 세는 말.
>
> 장   종이나 유리 따위의 얇고 넓적한 물건을 세는 말.

(1) 말 한 ☐

(2) 휴대 전화 두 ☐

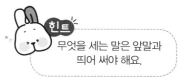

힌트

무엇을 세는 말은 앞말과 띄어 써야 해요.

◉ 「담요 한 장 속에」의 '내'가 아버지께 편지를 썼어요. 편지에 쓰인 기호를 보고 암호를 풀어 '내'가 아버지께 전하고 싶은 말은 무엇인지 빈칸에 알맞은 말을 쓰세요.

> 아버지, 지난밤에 담요 한 장을 같이 덮고 자서 참 좋았어요. 말은 못 했지만 아버지와 더욱 가까워진 것 같아서 무척 기뻐요. 다음에는 아버지와 한 이불을 덮고 이런저런 얘기하면서 자면 좋겠어요.
> 　아버지, ✿ ❀ ❁ ❋.
> 　그럼 안녕히 계세요.
>
> 　　　　　　　　　　　　20○○년 ○○월 ○○일
> 　　　　　　　　　　　　　　　　　아들 올림

기호	✿	❀	❁	❋
나타내는 글자	해	사	랑	요

 「담요 한 장 속에」의 '나'는 아버지께 '　　　　　　'라는 말을 전하고 싶어 해요.

 시 「담요 한 장 속에」의 '내'가 아버지께 쓴 편지에서 전하고 싶은 말은 무엇인지 생각해 봅니다.

고대 그리스에서 올림픽을 했다고요?

공부한 날   월   일

낱말의 뜻을 짐작하며 읽어 보자!

낱말의 뜻을 짐작하여 「고대 그리스에서 올림픽을 했다고요?」를
읽어 보세요.

앞뒤 낱말이나 문장을 살펴보거나 다른 낱말을 넣어
뜻이 통하는지 살펴보면 낱말의 뜻을 짐작할 수 있어요.

● 오늘 공부할 글과 그림을 미리 보고, 알맞은 낱말을 각각 찾아 표시하세요.

그리스 사람들은 각각 다른 폴리스에서 살면서도 서로 같은 민족이라는 생각을 가지고 있었어요. 그래서 스스로를 그리스의 조상 헬렌의 자손이란 뜻으로 '헬레네스'라고 불렀어요. 그리고 다른 민족은 야만인이란 뜻인 '바르바로이'라고 부르며 얕잡아 보았어요.

1 '오랜 세월에 걸쳐 일정한 지역에 모여 같은 언어, 풍습, 문화를 가지고 함께 살아가는 사람들의 집단.'이라는 뜻의 낱말을 찾아 ○표를 하세요.

2 '문명의 혜택을 받지 못하여 생활 방식이나 의식의 수준이 낮은 사람.'이라는 뜻의 낱말을 찾아 △표를 하세요.

올림픽에 대하여
알아보기

고대 그리스에서 올림픽을 했다고요?

스스로 독해

'겨루었어요'의 뜻은 무엇일까요? 점선 부분을 따라 선을 그으며 읽고 낱말 뜻을 짐작해 보세요.

그리스 사람들은 각각 다른 폴리스에서 살면서도 서로 같은 민족이라는 생각을 가지고 있었어요. 그래서 스스로를 그리스의 조상 헬렌의 자손이란 뜻으로 '헬레네스'라고 불렀어요. 그리고 다른 민족은 야만인이란 뜻인 '바르바로이'라고 부르며 얕잡아 보았어요. 이런 생각은 그리스 사람들을 하나로 뭉치게 해 주었지요. 이런 ㉠단결된 힘을 보여 주는 것이 올림피아 제전이에요.

기원전 776년부터 그리스 사람들은 4년마다 한 번씩 올림피아 제전을 열었어요. 폴리스들의 대표가 모여 제우스 신에게 제사를 지낸 후, 달리기, 원반 던지기, 투창, 마차 경주 등으로 힘을 ㉡겨루었어요. 우승한 사람은 올리브 나뭇가지로 만든 월계관을 받았답니다.

어휘 풀이

▼ **폴리스** 고대 그리스의 도시 국가.

▼ **민족**│백성 민 民, 겨레 족 族│ 오랜 세월에 걸쳐 일정한 지역에 모여 같은 언어, 풍습, 문화를 가지고 함께 살아가는 사람들의 집단. ⑳ 우리 민족은 엄청난 시련을 이겨 냈다.

▼ **야만인**│들 야 野, 오랑캐 만 蠻, 사람 인 人│ 문명의 혜택을 받지 못하여 생활 방식이나 의식의 수준이 낮은 사람.

▼ **올림피아** 고대 그리스 시대에 제우스 신에게 제사를 지냈던 곳으로, 올림픽 경기가 시작된 곳이기도 함.

▼ **월계관**│달 월 月, 계수나무 계 桂, 갓 관 冠│ 고대 그리스에서, 월계수의 가지와 잎으로 만들어 경기의 우승자에게 씌워 주던 관.

▲ 월계관

▶ 정답 및 해설 23쪽

서술형

1

이해

그리스 사람들은 각각 다른 폴리스에 살면서도 어떤 생각을 가지고 있었다고 하였는지 쓰세요.

그리스 사람들은 각각 다른 폴리스에 살면서도 _____

_____ 생각을 가지고 있었다.

2

어휘

㉠'단결된'과 뜻이 비슷한 낱말은 무엇인가요? (　　　　)

① 소심한　　　　　② 강력한　　　　　③ 단합된
④ 든든한　　　　　⑤ 강렬한

스스로 독해 **해결!**

3

유추

㉡'겨루었어요'의 뜻을 알맞게 짐작한 친구의 이름에 ◯표를 하세요.

제우스 신에게 제사를 지냈다는 것으로 보아, '신이나 웃어른에게 정중하게 드렸어요.'라는 뜻 같아.

진웅

영진

우승한 사람은 월계관을 받았다는 것으로 보아, '서로 버티어 승부를 다투었어요.'라는 뜻 아닐까?

힌트
앞뒤의 문장이나 낱말을 근거로 뜻을 알맞게 짐작한 친구를 찾아봐요.

4

요약

이 글의 중심 내용을 정리하여 빈칸에 알맞은 말을 각각 쓰세요.

　　각각 다른 폴리스에 살았던 그리스 사람들은 단결된 힘을 보여 주기 위해 4년마다 한 번씩 ❶ □□□□□ 제전을 열었다. 폴리스들의 대표가 모여 제우스 신에게 제사를 지낸 후 달리기, 원반 던지기, 투창, 마차 경주 등으로 힘을 겨루었고, 이 경기에서 우승한 사람은 올리브 나뭇가지로 만든 ❷ □□□ 을 받았다.

기초 집중 연습으로 어휘력 튼튼

▶ 정답 및 해설 23쪽

1 다음 밑줄 그은 낱말의 뜻을 찾아 각각 선으로 이으세요.

(1)

서로 <u>같은</u> 민족

(2)

달덩이 <u>같은</u> 얼굴

①
다른 것과 비교하여
그것과 다르지 않은.

②
서로 다르지 않고
하나인.

2 다음 보기 를 참고하여 (   ) 안에 들어갈 알맞은 낱말에 각각 ○표를 하세요.

보기

투창 육상 경기의 하나로 창을 여섯 번 던져 그 가운데 가장 멀리 던진 거리로 승부를 겨룸.

투포환 지름 2.135미터의 원 안에서 포환을 던져서, 멀리 나간 거리로써 승부를 겨룸.

투원반 지름 2.5미터의 원 안에서 (1) (원반 , 선반)을 (2) (받아서 , 던져서) 멀리 가기를 겨룸.

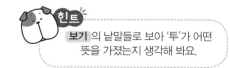

힌트
보기 의 낱말들로 보아 '투'가 어떤 뜻을 가졌는지 생각해 봐요.

▶ 정답 및 해설 23쪽

● 올림픽을 상징하는 깃발인 오륜기에는 어떤 의미가 담겨 있을까요? 다음 수애의 설명과 세계 지도를 보고 오륜기의 다섯 동그라미가 상징하는 대륙의 이름을 쓰고, 오륜기에 어떤 의미가 담겨 있는지 알맞은 말에 ○표를 하세요.

수애

오륜기의 오륜은 다섯 개의 동그라미를 말하는데, 지구에 있는 다섯 대륙을 상징해요. 이 다섯 개의 동그라미가 서로 얽혀 있는 것은 세계 모든 나라가 힘을 모으자는 의미를 담고 있어요.

오륜기의 다섯 동그라미가 상징하는 대륙은 세계 지도의 왼쪽부터 아프리카, (1)　　　　　　　, 아시아, 오세아니아, (2)　　　　　　　 이며, 이 다섯 동그라미가 서로 얽혀 있는 것은 세계의 모든 나라가 (3) (힘을 모으자는 , 서로 싸우자는) 의미를 담고 있어요.

「고대 그리스에서 올림픽을 했다고요?」의 내용을 떠올리며 **오륜기의 다섯 동그라미가 상징하는 대륙의 이름과 오륜기의 다섯 동그라미가 서로 얽혀 있는 것**이 무엇을 뜻하는지 알아봅니다.

생명을 구하는 '심폐 소생술'

공부한 날   월   일

일하는 방법에 따라 글을 정리해 보자!

일하는 방법에 따라 글을 정리하며 「생명을 구하는 '심폐 소생술'」을
읽어 보세요.
차례를 나타내는 말과 그 차례와 관련 있는 중요한 내용을
찾아 차례대로 정리하면 된답니다.

● 오늘 공부할 글의 그림을 미리 보고, 빈칸에 알맞은 낱말을 [보기] 에서 각각 찾아 쓰세요.

보기

반응   확인   압박   발견   밀착

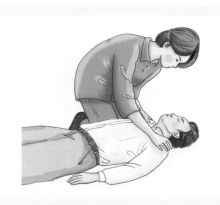

❶ ☐☐

자극에 대응하여 어떤 현상이 일어남.
또는 그 현상.
   ⑩ 양쪽 어깨를 두드려 ○○이 있는지
숨은 쉬고 있는지를 확인한다.

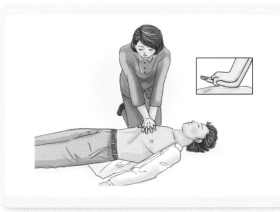

❷ ☐☐

강한 힘으로 내리누름.
   ⑩ 양손을 각지 끼어 손바닥의 아래
부위로 가슴 ○○을 한다.

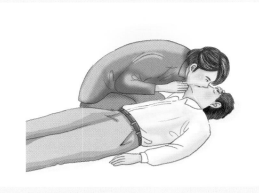

❸ ☐☐

빈틈없이 단단히 붙음.
   ⑩ 환자의 코를 막고 입을 ○○시켜야
한다.

사고 및 응급 상황
대처 방법에
대하여 알아보기

생명을 구하는 '심폐 소생술'

스스로 독해

점선 부분을 따라 선을 그으며 읽어 보고 심폐 소생술을 하는 방법을 차례대로 정리해 보세요.

환자를 발견했을 때 가장 먼저 해야 할 일은 양쪽 어깨를 두드려 반응이 있는지, 숨은 정상적으로 쉬고 있는지를 확인하고 즉시 119에 신고하는 것입니다.

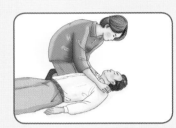

그다음에 양손을 깍지 끼어 손바닥의 아래 부위로 가슴 압박을 30회 합니다. 가슴 가운데를 분당 100~120회 속도로 빠르게 5~6센티미터 ㉠깊이로 강하게 해야 합니다.

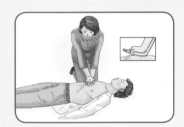

다음으로, 인공호흡을 교육받았고 시행할 의지가 있다면 고개를 젖히고 턱을 들어 인공호흡을 2회 합니다. 인공호흡을 할 때 주의할 점은 가슴이 부풀어 오르는지 확인하면서 환자의 코를 막고 입을 밀착시켜야 합니다.

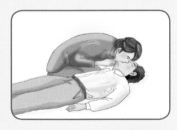

마지막으로 119가 오기 전까지 가슴 압박 30회, 인공호흡 2회를 번갈아서 합니다.

※ 인공호흡을 교육받지 않았다면 가슴 압박 소생술만 시행합니다.

어휘 풀이

▼**심폐 소생술**|마음 심 心, 허파 폐 肺, 차조기 소 蘇, 날 생 生, 꾀 술 術| 심장의 박동과 호흡이 멎은 상태를 정상으로 회복시키는 처치 방법.

▼**반응**|돌이킬 반 反, 응할 응 應| 자극에 대응하여 어떤 현상이 일어남. 또는 그 현상.

▼**깍지** 열 손가락을 서로 엇갈리게 바짝 맞추어 잡은 상태.

▼**압박**|누를 압 壓, 닥칠 박 迫| 강한 힘으로 내리누름. ⑩ 다리를 삐어서 압박 붕대를 감았다.

▼**밀착**|빽빽할 밀 密, 붙을 착 着| 빈틈없이 단단히 붙음. ⑩ 밀착 취재로 사건을 파헤쳤다.

1 이 글에서 설명하고 있는 내용은 무엇인가요? (　　　)

이해

① 심폐 소생술의 뜻 　　　　② 심폐 소생술을 하는 방법

③ 물에 빠졌을 때 대처 방법 　　④ 심장 충격기를 사용하는 방법

⑤ 119 구조 대원이 되기 위한 방법

2 ㉠'깊이로'를 소리 나는 대로 알맞게 쓴 것은 무엇인가요? (　　　)

문법

① [깁이로] 　　　② [기피로] 　　　③ [깊피로]

④ [기비로] 　　　⑤ [깁비로]

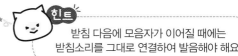

힌트

받침 다음에 모음자가 이어질 때에는 받침소리를 그대로 연결하여 발음해야 해요.

3주
5일

서술형

3 인공호흡을 할 때 주의할 점을 쓰세요.

이해

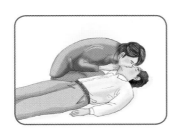

인공호흡은 가슴이 부풀어 오르는지 확인하면서

_____

_____

스스로 독해 해결!

4 심폐 소생술을 하는 방법에 따라 내용을 정리하여 빈칸에 알맞은 말을 각각 쓰세요.

요약

① 환자가 ❶ 　　　　　이 있는지, 숨은 정상적으로 쉬고 있는지 확인하고 즉시 119에 신고를 함.

② 양손을 깍지 끼어 손바닥의 아래 부위로 가슴 ❷ 　　　　　을 30회 함.

③ 인공호흡을 교육받았고 시행할 의지가 있다면 고개를 젖히고 턱을 들어 ❸ 　　　　　을 2회 함.

④ 119가 오기 전까지 가슴 압박 30회, 인공호흡 2회를 번갈아서 함.

1 다음 낱말들의 관계에 대하여 알맞게 말한 친구의 이름에 ◯표를 하세요.

보기

정상 : 비정상   공개 : 비공개

뜻이 서로 반대야. 정희

한 낱말의 뜻이 다른 낱말의 뜻을 모두 포함하고 있어. 시현

뜻이 서로 비슷해. 종수

힌트
낱말 앞에 '비(非)' 자를 붙이면 어떤 뜻이 되는지 살펴봐요.

2 다음 빈칸에 들어갈 알맞은 낱말을 보기 에서 각각 찾아 쓰세요.

보기

반응   압박   밀착   호흡   발견

(1) 아버지를 강하게 흔들어 깨워도 아무 □□을 보이지 않으셨다.

(2) 바른 자세로 공부하려면 등을 의자에 바짝 □□시켜 앉아야 한다.

● 지하철을 이용할 때에 지켜야 할 안전 수칙이 맞으면 ○, 맞지 않으면 ×의 길을 갈 수 있어요. 수민이가 심장 충격기를 가지고 사고 현장으로 갈 수 있도록 선을 그어 보세요.

3주
5일

　「생명을 구하는 '심폐 소생술'」의 내용을 떠올리며 **지하철을 이용할 때에 지켜야 할 안전 수칙**을 알아봅니다.

[1~3] 다음 글을 읽고, 물음에 답하세요.

"그것이 먹는 거라니? 누가 그런 어리석은 소리를 했어?"

송 서방은 ㉮기가 막히다는 얼굴로 물었습니다.

㉠"누구긴 누구야? 저 영감이 우리더러 무식하니 죽어라, 살아라 하면서 그걸로 국을 끓여 주길래 할 수 없이 먹었지."

훈장님은 얼굴이 홍당무같이 빨개져서 방바닥만 내려다보고 앉아 있었습니다.

"그것은 뱅어가 아니라 불을 켜는 양초라네. 자, 불을 켤 테니 잘 보시게."

1 ㉠의 말을 한 인물이 먹은 것을 보기 에서 찾아 쓰세요.

> **보기**
>
> 떡   양초   뱅어

(   )

2 ㉠의 말을 한 인물의 마음으로 알맞은 것은 무엇인가요? (   )

① 지루한 마음   ② 황당한 마음

③ 설레는 마음   ④ 그리운 마음

⑤ 쑥스러운 마음

3 ㉮와 바꾸어 쓸 수 있는 낱말로 알맞은 것에 ○표를 하세요.

(1) 어처구니없다   (   )

(2) 얼굴이 두껍다   (   )

(3) 눈이 캄캄하다   (   )

[4~5] 다음 글을 읽고, 물음에 답하세요.

우주복이 흰색만 있는 건 아니야. 우주선 안에서는 주황색 옷을 입어. 우주선이 발사될 때와 지구로 다시 돌아올 때, 혹시 사고가 나더라도 구조 대원이 쉽게 찾을 수 있도록 눈에 잘 띄는 주황색 우주복을 입는 거지.

4 우주선 안에서 입고 있는 우주복의 색깔은 무엇인지 쓰세요.

(   )

5 우주선 안에서는 위 **4**에서 답한 색깔의 우주복을 입는 까닭은 무엇인가요? (   )

① 태양빛을 잘 흡수하기 때문에

② 태양빛을 잘 반사하기 때문에

③ 누구에게나 어울리는 색깔이기 때문에

④ 우주인이 가장 선호하는 색깔이기 때문에

⑤ 사고가 났을 때 구조 대원이 쉽게 찾을 수 있는 색깔이기 때문에

▶ 정답 및 해설 24쪽

[6~7] 다음 시를 읽고, 물음에 답하세요.

> 밤이 깊어 가는데
> 아버지는 가만히 일어나
> 내 발을 덮어 주시고
> 다시 조용히 누우신다.
> 그냥 누워 있는 게 뭣해
> 나는 다리를 오므렸다.
> 아버지– 하고 부르고 싶었다.

6 아버지가 한 행동은 무엇인가요? ( )

① 자장가를 불러 주셨다.
② '나'의 손을 꼭 잡아 주셨다.
③ '나'의 머리를 쓰다듬어 주셨다.
④ '나'의 발에 이불을 덮어 주셨다.
⑤ '나'의 등을 조심스럽게 토닥여 주셨다.

7 이 시에서 느껴지는 아버지의 마음으로 알맞은 것에 ◯표를 하세요.

(1) 아들이 말도 없이 잠들어서 서운한 마음
( )

(2) 아들을 사랑하는 아버지의 따뜻한 마음
( )

[8~9] 다음 글을 읽고, 물음에 답하세요.

> 기원전 776년부터 그리스 사람들은 4년마다 한 번씩 올림피아 제전을 열었어요. 폴리스들의 대표가 모여 제우스 신에게 제사를 지낸 후, 달리기, 원반 던지기, 투창, 마차 경주 등으로 힘을 겨루었어요. ㉠우승한 사람은 올리브 나뭇가지로 만든 월계관을 받았답니다.

8 이 글의 내용으로 ( ) 안에 알맞은 숫자를 각각 쓰세요.

• 기원전 (1) ( )년부터 그리스 사람들은 (2) ( )년마다 한 번씩 올림피아 제전을 열었다.

9 ㉠'우승'의 뜻으로 알맞은 것의 기호를 쓰세요.

> ㉮ 경기, 경주 따위에서 이겨 첫째를 차지함.
> ㉯ 운동 경기 따위에서, 마지막으로 승부를 가리는 시합.

( )

10 다음 글에서 잘못 쓴 낱말을 찾아 바르게 고쳐 쓰세요.

> 양손을 깎지 끼어 손바닥의 아래 부위로 가슴 압박을 30회 합니다. 가슴 가운데를 분당 100~120회 속도로 빠르게 5~6센티미터 깊이로 강하게 해야 합니다.

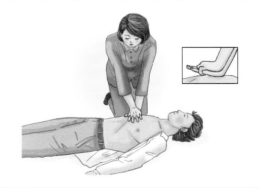

( ) → ( )

3주
평가

창의

1 다음 만화를 읽고, 3주차에서 배운 낱말을 떠올려 어휘 퀴즈에 알맞은 낱말을 빈칸에 각각 쓰세요.

3주
특강

어휘 퀴즈

❶ '배우지 않은 데다 보고 듣지 못하여 아는 것이 없다.'를 뜻하는 말은? →   하다

❷ '문명의 혜택을 받지 못하여 생활 방식이나 의식의 수준이 낮은 사람.'을 뜻하는 말은?

→

❸ '우리 ○○이 남긴 글 속에는 ○○의 지혜가 담겨 있다.'의 빈칸에 공통으로 들어갈 말은? →

코딩
2 수연이네 가족은 우주선 태극호를 타고 우주여행을 떠났어요. 그런데 수명을 다한 인공위성들이 우주 쓰레기가 되어 우주 공간을 떠다니고 있어요. 이 우주 쓰레기를 잘 피해서 우주 정거장까지 도착하려면 어떤 코딩 명령을 따라가야 할지 알맞은 것에 ◯표를 하세요.

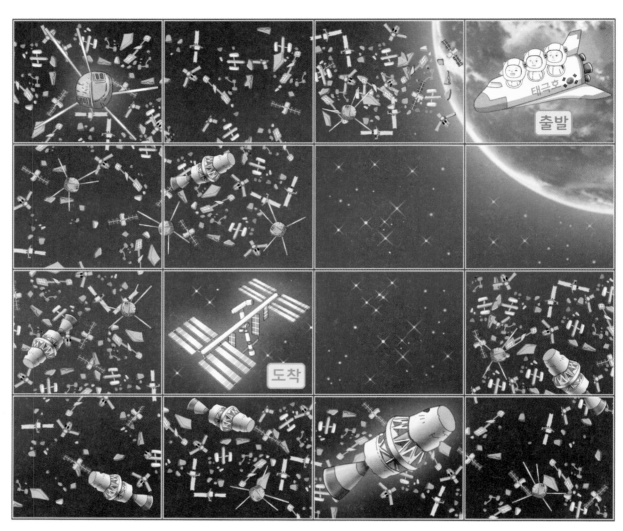

(1) (　　　　　)　　　　　(2) (　　　　　)

융합

3 다음은 올림픽 양궁 결승전 경기 장면입니다. 우리나라 선수와 상대 선수의 양궁 경기를 보고 물음에 알맞은 답을 쓰세요.

3세트에서 미국 선수가 8점, 8점, 10점을 쏘아 총 (1)　　　　　점을 쏘았고, 대한민국 선수가 현재까지 9점, 10점을 쏘았으므로 마지막 발에 (2)　　　　　점만 쏘아도 27점이 되어서 대한민국 선수가 금메달을 가져가게 돼요.

창의

4

생활 어휘

다음 장기 방치 자전거 폐기 안내문을 보고 알맞은 말에 각각 ○표를 하세요.

장기 방치 자전거 폐기 안내

우리 아파트 복도와 계단, 화단 등에 사용하지 않고 장기 방치되어 있는 자전거를 폐기 및 정리할 예정이오니 주민들의 협조 부탁드립니다.

1. 자전거 폐기를 원하지 않는 소유자는 경비실에서 스티커를 발급받아 자전거 앞쪽에 붙여 주시기 바랍니다.
2. 신고되지 않은 자전거는 폐기할 예정이오니 기간 내에 꼭 신고하여 스티커를 부착해 주시기 바랍니다.

20○○년 ○○월 ○○일
천재아파트 관리 사무소

자전거를 어떻게 하라는 거지?

뭘 신고하라는 건지 모르겠어.

얘들아! 장기 방치 자전거를 폐기한다는 뜻은 아파트 주변에 여기저기 (1) (짧은 , 오랜) 기간 (2) (내버려 , 관리해) 둔 자전거를 정리하여 (3) (버린다 , 보관한다)는 뜻이야. 그러니까 네 자전거가 정리되길 바라지 않는다면 경비실에서 스티커를 발급받아 자전거 앞쪽에 붙이도록 해.

어휘 풀이

▼ **장기** | 길 장 長, 기약할 기 期 | 긴 기간. 예 도서관에서 빌린 책을 장기 연체하면 벌금을 내야 한다.

▼ **방치** | 놓을 방 放, 둘 치 置 | 내버려 둠. 예 비싸게 산 카메라를 방치하여 고장이 났다.

▼ **폐기** | 폐할 폐 廢, 버릴 기 棄 | 못 쓰게 된 것을 버림. 예 다 쓴 공책을 폐기하였다.

▼ **부착** | 붙을 부 附, 붙을 착 着 | 떨어지지 않게 붙음. 또는 그렇게 붙이거나 닮.

창의
5
생활 한자

心(마음 심) 자에 대해 알아보고, 다음 물음에 답하세요.

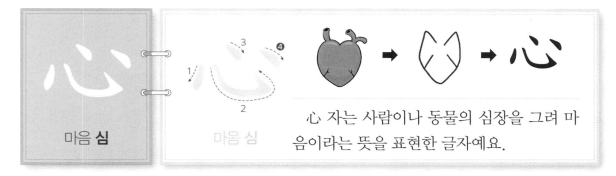

마음 심

마음 심

心 자는 사람이나 동물의 심장을 그려 마음이라는 뜻을 표현한 글자예요.

(1) 心 자가 들어간 낱말을 알아보고, 한자의 음을 쓰세요.

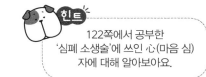

힌트
122쪽에서 공부한 '심폐 소생술'에 쓰인 心(마음 심) 자에 대해 알아보아요.

① 산에 오르니 心身이 건강해지는 것 같았다.

　　신

② 집에 혼자 있으려니 무서웠는데 부모님이 돌아오셔서 安心이 되었다.

안　

(2) 한자 성어의 뜻을 알아보고, 빈칸에 알맞은 한자를 쓰세요.

以 心 傳 心
써 이　마음 심　전할 전　마음 심

마음과 마음으로 서로 뜻이 통함.

· 以　　傳　　(이심전심)이라고 친구의 생각을 금방 알아차렸다.

4주

4주에는 무엇을 공부할까? ❶

4주 4주에는 무엇을 공부할까? ❷

1-1 다음 문장에서 잘못 쓴 글자를 찾아 바르게 고쳐 쓰세요.

"너희들은 때를 지어 거슬러 오르기 때문에 아름다운 거야."

➡

1-2 빈칸에 공통으로 들어갈 낱말은 무엇인지 알맞은 낱말에 ○표를 하세요.

목장에 갔더니 양이 ○로 있었어.

○로 몰려다니며 떠든다고 선생님께 꾸중을 들었어.

힌트
'목적이나 행동을 같이하는 무리.'를 뜻하는 낱말을 찾아보아요.

(떼 , 때)

▶ 정답 및 해설 26쪽

2-1 밑줄 그은 낱말이 글에서 어떤 뜻으로 사용되었는지 알맞은 것을 골라 ○표를 하세요.

　　정말 놀랍게도 아카시아는 기린이 자신의 잎을 뜯어 먹으면 <u>고약한</u> 맛을 내는 물질을 만들어 잎으로 퍼뜨린다고 해.

(1) 얼굴 생김새가 흉하거나 험상궂은. 　　　　(　　　)

(2) 맛, 냄새 따위가 비위에 거슬리게 나쁜. 　　(　　　)

2-2 밑줄 그은 낱말이 '맛, 냄새 따위가 비위에 거슬리게 나쁜.'의 뜻으로 쓰인 문장을 골라 ○표를 하세요.

(1) 놀부는 <u>고약한</u> 성미를 지녔다.
　　　　　　　　　　(　　　)

(2) 음식물 쓰레기 때문에 <u>고약한</u> 냄새가 났다. 　　　　　(　　　)

1일

이야기 (문학)

연어

글의 주제를 찾아라!

글쓴이가 말하고자 하는 것(주제)이 무엇인지 생각하며
「연어」를 읽어 보세요.
글의 제목에서 글쓴이의 생각을 짐작해 보고, 인물들의 말이나 행동이
무엇을 뜻하는지 생각하며 읽으면 된답니다.

● 오늘 공부할 글과 그림을 미리 보고, 알맞은 낱말을 각각 찾아 표시하세요.

"우리들의 몸이 붉게 물드는 것은 어른이 되었다는 뜻이야. 우리는 지금 알을 낳기 위해 우리가 태어난 상류로 가는 거야."

1 '빛깔이 스미거나 옮아서 묻는.'이라는 뜻의 낱말을 찾아 ○표를 하세요.

2 '강이나 내의 위쪽.'이라는 뜻의 낱말을 찾아 △표를 하세요.

연어에 대하여 알아보기

연어

안도현

스스로 독해

글쓴이가 말하고자 하는 것은 무엇일까요? 점선 부분을 따라 선을 그으며 읽어 보고 글의 주제를 찾아보세요.

"우리들의 몸이 붉게 ▼물드는 것은 어른이 되었다는 뜻이야. 우리는 지금 알을 낳기 위해 우리가 태어난 ▼상류로 가는 거야."

"상류에다 알을 낳기 위해서? 오직 그것 때문에?"

"그게 우리가 살아가는 이유야."

은빛 ▼연어는 알을 낳기 위해 이 고생을 한다는 것이 믿어지지 않았다.

"우리가 강을 거슬러 오르는 이유가 오직 알을 낳기 위해서일까? 그게 우리의 전부라고 생각하니? 아닐 거야. 연어에게는 연어만의 독특한 삶의 이유가 있을 거야. 우리가 그것을 찾지 못했을 뿐이지. 그 이유를 찾지 못하면 우리 삶이란 아무 의미가 없는 게 아닐까?"

"너희들은 ▼떼를 지어 거슬러 오르기 때문에 아름다운 거야."

초록 강이 은빛 연어와 눈 맑은 연어의 이야기를 듣고 있다가 말했다.

"거슬러 오른다는 건 뭐죠?"

"거슬러 오른다는 것은 지금 보이지 않는 것을 찾아간다는 뜻이지. 꿈이랄까, 희망 같은 거 말이야. 힘겹지만 아름다운 일이란다."

어휘 풀이

▼ **물드는** 빛깔이 스미거나 옮아서 묻는. ⑩ 가을은 은행잎이 노랗게 물드는 계절이다.

▼ **상류**|위 상 上, 흐를 류 流| 강이나 내의 위쪽. ⑩ 한강 상류 지역까지 배를 타고 갔다.

▼ **연어**|연어 연 鰱, 물고기 어 魚| 등은 파란색을 띤 회색이고 배는 은백색인 연어과의 바닷물고기. 가을에 강 상류에 올라와 모랫바닥에 알을 낳고 죽음.

▼ **떼** 목적이나 행동을 같이하는 무리. ⑩ 양 떼가 한가로이 풀을 뜯는다.

▲ 연어

▶ 정답 및 해설 26쪽

1
이해
연어의 몸이 붉게 물드는 것은 무엇을 뜻한다고 하였나요? (　　　　)

① 어른이 되었다.
② 잠을 잘 때가 되었다.
③ 바다로 갈 때가 되었다.
④ 먹이를 먹을 때가 되었다.
⑤ 새로운 보금자리를 만들 때가 되었다.

2
이해
서술형
초록 강은 연어들이 왜 아름답다고 했는지 쓰세요.

연어가 떼를 지어 _____ 때문이다.

4주
1일

3
유추
스스로 독해 해결!
이 글의 주제는 무엇인가요? (　　　　)

① 정직한 삶을 살아야 한다.
② 욕심을 부리지 말아야 한다.
③ 남을 배려하는 삶을 살아야 한다.
④ 자신의 능력에 따라 만족하는 삶이 행복하다.
⑤ 꿈과 희망을 찾으려고 노력하는 삶은 아름답다.

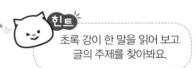
힌트
초록 강이 한 말을 읽어 보고
글의 주제를 찾아봐요.

4
요약
이 글의 주제를 생각하며 내용을 정리하여 빈칸에 알맞은 말을 각각 쓰세요.

　눈 맑은 연어는 ❶　　　　을 낳기 위해 상류로 가는 것이라고 하였고, 은빛 연어는 알을 낳는 것이 우리의 전부는 아니며 연어에게는 연어만의 독특한 삶의 ❷　　　　가 있을 것이라고 하였다. 초록 강은 이들의 이야기를 듣고 있다가 거슬러 오른다는 것은 꿈이나 희망 같은 것을 찾아간다는 뜻이고, 이것은 힘겹지만 아름다운 일이라고 하였다.

1 다음 밑줄 그은 낱말과 뜻이 비슷한 낱말을 보기 에서 각각 찾아 쓰세요.

보기

아이   성인   학생   모두   일부

(1) 우리들의 몸이 붉게 물드는 것은 <u>어른</u>이 되었다는 뜻이야.

(2) 가족 <u>전부</u>가 여행을 떠났다.

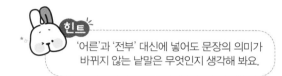

힌트

'어른'과 '전부' 대신에 넣어도 문장의 의미가
바뀌지 않는 낱말은 무엇인지 생각해 봐요.

2 다음 밑줄 그은 낱말의 뜻을 알맞게 말한 친구의 이름에 ◯표를 하세요.

연어에게는 연어만의 독특한 삶의 이유가 있을 거야. 우리가 그것을 <u>찾지</u> 못했
을 뿐이지.

'어떤 사람이나 기관
따위에 도움을 요청하지.'
라는 뜻 아닐까?

지우

'모르는 것을
알아내고 밝혀내지.'
라는 뜻 같아.

수영

3 다음 밑줄 그은 낱말을 보기 와 같이 소리 나는 대로 쓰세요.

보기

앎이[알미]
곧 힘이지.

우리 <u>삶이란</u> 아무 의미가 없는 게
아닐까?

삶이란 → [   ]

◉ 은빛 연어가 알을 낳기 위해 자신이 태어난 강의 상류로 가려고 해요. 알맞게 길을 찾아 선으로 이어 보세요.

 이야기 「연어」의 내용을 떠올리며 **연어는 알을 낳기 위해 자신이 태어난 강의 상류로 돌아간다는 사실**을 재미있는 놀이를 하며 알아봅니다.

식물끼리도 의사소통을 할까?

공부한 날   월   일

글에서 무엇을 예로 들어 설명하였는지 찾아라!

무엇을 예로 들어 설명하였는지 찾으며
「식물끼리도 의사소통을 할까?」를 읽어 보세요.
무엇에 대하여 설명하고 있는지 파악하고 '예를 들어, 예컨대,
이를테면' 등과 같은 말이 쓰인 부분을 찾아 읽으면 된답니다.

● 오늘 공부할 글의 그림을 미리 보고, 빈칸에 알맞은 낱말을 보기 에서 각각 찾아 쓰세요.

보기

유난히　　　어린잎　　　신호　　　전달　　　물질

❶

일정한 부호, 표지, 소리, 몸짓 따위로 특정한 내용 또는 정보를 전달하거나 지시를 함. 또는 그렇게 하는 부호.
㉠ 식물은 다른 식물에게 ○○를 보낼 수 있다.

❷

언행이나 상태가 보통과 아주 다르게. 또는 언행이 두드러지게 남과 달라 예측할 수 없게.
㉠ 아프리카에 사는 기린은 ○○○ 아카시아의 어린잎을 좋아한다.

❸

자극, 신호, 동력 따위가 다른 기관에 전하여 짐.
㉠ 신호를 ○○받은 아카시아들은 겨우 몇 분 만에 잎에서 쓴맛이 나도록 만든다.

식물에 대하여
알아보기

식물끼리도 의사소통을 할까?

스스로 독해

식물끼리도 의사소통을 할까요? ◯ 속 낱말을 색칠하며 이 글에서 무엇을 예로 들어 설명하였는지 찾아보세요.

　식물은 동물처럼 이곳저곳으로 옮겨 다닐 수 없어. 또 소리를 내거나 앞을 볼 수도 없지. 하지만 식물도 느끼거나 들을 수 있다고 해. 또 ㉠멀리 떨어져 있는 다른 식물들에게 신호를 보낼 수도 있대. 정말 놀랍지 않니?

　예를 들어 아프리카에 사는 기린은 유난히 아카시아의 어린잎을 좋아해. 그런데 기린은 한자리에서 오래 아카시아 나뭇잎을 먹지 않아. 5분 정도 지나면 아카시아의 잎들이 ㉡아주 써지거든. 왜 그렇게 되는 걸까?

　정말 놀랍게도 아카시아는 기린이 자신의 잎을 뜯어 먹으면 고약한 맛을 내는 물질을 만들어 잎으로 퍼뜨린다고 해. 그와 동시에 다른 아카시아에게도 냄새로 신호를 보낸다는 거야.

　그리고 그 신호를 전달받은 아카시아들은 겨우 몇 분 만에 잎에서 쓴맛이 나도록 만들어서, 기린이 어린 나뭇잎을 뜯어 먹지 못하도록 한다는 거지.

어휘 풀이

▼**신호**|믿을 신 信, 부르짖을 호 號| 　일정한 부호, 표지, 소리, 몸짓 따위로 특정한 내용 또는 정보를 전달하거나 지시를 함. 또는 그렇게 하는 데 쓰는 부호. 예 신호가 빨간색으로 변해 건널 수 없었다.

▼**유난히** 　언행이나 상태가 보통과 아주 다르게. 또는 언행이 두드러지게 남과 달라 예측할 수 없게. 예 친구의 눈이 유난히 크게 느껴졌다.

▼**어린잎** 　새로 나온 연한 잎. 예 식물의 어린잎은 동물들이 먹기에 매우 좋다.

▼**고약한** 　맛, 냄새 따위가 비위에 거슬리게 나쁜. 예 쓰레기통에서 고약한 냄새가 났다.

▼**전달**|전할 전 傳, 통할 달 達| 　자극, 신호, 동력 따위가 다른 기관에 전하여짐.

1
이해

스스로 독해 해결!

㉠을 설명하기 위해 예로 든 식물은 무엇인지 쓰세요.

(   )

2
어휘

㉡'아주'와 바꾸어 쓸 수 있는 말은 무엇인가요? (   )

① 잠깐   ② 문득   ③ 매우
④ 조금   ⑤ 약간

3
이해

서술형

기린이 한자리에서 오래 아카시아 나뭇잎을 먹지 않는 까닭은 무엇인지 쓰세요.

5분 정도 지나면 아카시아의 잎들이

_____

때문이다.

힌트
아카시아가 자신의 몸을 보호하기
위해 어떻게 하였는지 찾아봐요.

4
요약

이 글에서 예로 든 내용을 생각하여 빈칸에 알맞은 말을 각각 쓰세요.

　식물은 멀리 떨어져 있는 다른 식물들에게 ❶ [　　　]를 보낼 수 있다.
예를 들어 기린이 아카시아 나뭇잎을 먹으면 아카시아는 고약한 맛을 내는
물질을 만들어 잎으로 퍼뜨리는데 이때 다른 아카시아에게도 ❷ [　　　]로
신호를 보낸다. 그 신호를 전달받은 다른 아카시아들은 몇 분 만에 잎에서 쓴
맛이 나도록 만들어서, 기린이 어린 나뭇잎을 뜯어 먹지 못하도록 한다.

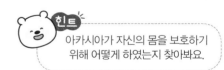

▶ 정답 및 해설 27쪽

1 다음 빈칸에 알맞은 말을 보기 에서 각각 찾아 쓰세요.

> 보기
>
> 쓴맛 단맛 신맛 짠맛 매운맛

(1) [　　　] : 소금과 같은 맛.

(2) [　　　] : 식초와 같은 맛.

(3) [　　　] : 설탕, 꿀 따위의 당분이 있는 것에서 느끼는 맛.

(4) [　　　] : 한약의 맛처럼 느껴지는 맛.

(5) [　　　] : 고추를 먹었을 때 느낄 수 있는 알알한 맛.

2 보기 에 쓰인 '어린'과 뜻이 같은 것에 ◯표를 하세요.

> 보기
>
> 기린이 어린 나뭇잎을 뜯어 먹지 못하도록 한다는 거지.
> ↳ 동물이나 식물 따위가 난 지 얼마 안 되어 작고 여린.

(1) 아영아, 너의 정성 **어린** 선물에 감동받았어. 정말 고마워. 지금 공원으로 나올 수 있니? (　　　) — 지우

(2) 지금 어머니와 **어린** 나무를 정원에 심고 있는 중이야. 우리 나중에 만나자. (　　　) — 아영

힌트
문장을 읽어 보고
'어리다'가 어떤 뜻으로
쓰였는지 생각해 봐요.

◉ 식물끼리 의사소통을 한다는 사실을 잘 알았지요? 이번에는 식물이 자신의 몸을 보호하기 위해 어떤 무기를 사용하는지 알아볼 거예요. 그림과 설명을 참고하여 빈칸에 들어갈 알맞은 말을 보기 에서 각각 찾아 쓰세요.

> 보기
>
> 독   털   가시   냄새

식물의 잎에 나 있는 ❶ ___ 은 곤충의 애벌레가 잎을 뜯어 먹는 것을 막고 기어 다니기 불편하게 한다.

식물 줄기를 감싸고 있는 날카로운 ❷ ___ 는 잎을 먹으러 오는 동물이 접근하지 못하도록 한다.

식물에 든 ❸ ___ 은 새나 동물의 감각을 마비시킬 수 있고, 소화를 방해하기도 한다.

식물이 뿜어내는 독한 ❹ ___ 는 곤충이나 동물이 접근하지 못하도록 한다.

「식물끼리도 의사소통을 할까?」의 내용을 떠올리며 **식물이 자신의 몸을 보호하기 위해 사용하는 무기**는 무엇인지 알아봅니다.

숲속의 대장간

인물의 마음을 표현해 보자!

「숲속의 대장간」에 등장하는 인물의 마음을 어떻게 표현하면
좋을지 생각하며 글을 읽어 보세요.

이야기 속 인물의 마음을 짐작해 보고, 어떤 목소리나 표정이 어울릴지,
어떤 행동으로 표현하면 좋을지 떠올려 보면 된답니다.

◉ 오늘 공부할 글의 그림을 미리 보고, 빈칸에 알맞은 낱말을 각각 찾아 쓰세요.

아저씨　　　사냥꾼　　　까마귀　　　대장간

토끼가 숨을 헐떡이며 숲속 ❶ ☐☐☐ 에서 일하는 꼬마에게 달려왔

　　　　　　　　　　　　　　　　→쇠를 달구어 온갖 연장을 만드는 곳.

어요. 토끼는 발을 동동 구르며 ❷ ☐☐☐ 에게 쫓기고 있으니 자신을

　　　　　　　　　　　　　　　→사냥하는 사람.

숨겨 달라고 꼬마에게 부탁했어요. 토끼의 부탁을 들은 꼬마는 토끼를 어디에 숨

겨야 할지 몰라 고민하였어요. 꼬마는 토끼를 어디에 숨겨 주었을까요?

숲속의 대장간

주평

스스로 독해

점선 부분을 따라 선을 그으며 읽어 보고, 인물의 마음을 짐작하여 이를 어떻게 표현하면 좋을지 생각해 보세요.

토끼, 숨을 헐떡이며 달려 들어온다.

토끼: 아저씨, 살려 주세요! 사냥꾼이 뒤쫓아 와요.

꼬마: 뭐, 사냥꾼이?

토끼: 절 좀 숨겨 주세요.

참새 1, 2, 3: 빨리빨리, 숨겨 주어요.

까마귀 1, 2, 3: 바보 같은 꼬마, 뭘 하고 있니? 사냥꾼이 뒤쫓아 온다는데.

꼬마: 까마귀, 넌 가만히 있어!

토끼: (㉠   ) 빨리요.

꼬마: (주위를 살피며) 어디다 감춰 주나……. 이것 참 야단났네.

참새 1, 2, 3: 빨리요! 저기 사냥꾼이 오고 있지 않아요.

까마귀 1, 2, 3: 바보같이 뭘 하고 있어. 솥 안에다 숨겨 주면 될 게 아니야.

꼬마: 그렇군, 솥 안이 좋아. 토끼야, 빨리 솥 안에 들어가거라!

어휘 풀이

▼ **대장간** |사이 간 間| 쇠를 달구어 온갖 연장을 만드는 곳. 예 농기구를 주문하려고 대장간에 갔다.

▼ **숨** 사람이나 동물이 코 또는 입으로 공기를 들이마시고 내쉬는 기운. 또는 그렇게 하는 일.

▼ **헐떡이며** 숨을 가쁘고 거칠게 쉬는 소리를 내며. 예 동생이 숨을 헐떡이며 들어왔다.

▼ **사냥꾼** 사냥하는 사람. 또는 사냥을 직업으로 하는 사람.

▼ **뒤쫓아** 앞서가는 사람의 뒤를 급히 따라. 예 엄마를 뒤쫓아 버스에서 내렸다.

▼ **야단** |이끌 야 惹, 바를 단 端|**났네** 난처하거나 딱한 일이 벌어졌네.

▼ **솥** 밥을 짓거나 국 따위를 끓이는 그릇.

▲ 솥

1
이해

서술형

토끼가 숨을 헐떡이며 달려 들어온 까닭은 무엇인지 쓰세요.

_____ 때문이다.

2
유추

㉠ 안에 들어갈 토끼의 행동으로 알맞은 것은 무엇인가요? (   )

① 머리를 긁으며   ② 손을 들여다보며

③ 먼 산을 바라보며   ④ 발을 동동 구르며

⑤ 까마귀를 가리키며

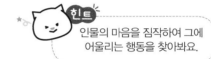
힌트
인물의 마음을 짐작하여 그에
어울리는 행동을 찾아봐요.

4주
3일

3
유추

스스로 독해 해결!

다음 인물의 말에 어울리는 표정을 골라 번호에 ◯표를 하세요.

> 꼬마: 어디다 감춰 주나……. 이것 참 야단났네.

(1)
화가 난 표정

(2)
난처한 표정

(3)
웃는 표정

4
요약

이 글의 내용을 정리하여 빈칸에 알맞은 말을 각각 쓰세요.

> ❶ _____ 는 꼬마에게 사냥꾼이 쫓아오니 숨겨 달라고 하였고, 참새와 까마귀는 꼬마에게 토끼를 빨리 숨겨 주라고 재촉하였다. 꼬마는 토끼를 어디에 숨기면 좋을지 고민하다 까마귀의 말을 듣고 ❷ _____ 안에 숨겨 주기로 하였다.

1 다음과 같이 빈칸에 들어갈 반복되는 말을 보기 에서 각각 찾아 쓰세요.

> 빨 리 빨 리 , 숨겨 주어요.

보기

보글보글   조몰조몰   끈적끈적
기웃기웃   주렁주렁   껑충껑충

(1) 찌개가 〔   〕 끓고   (2) 타조가 〔   〕 뛰어
있다.   달아났다.

힌트
같은 말이 두세 번 이어서 나오는 말을
'반복되는 말'이라고 해요. 주로 소리나
모양을 흉내 낼 때에 많이 써요.

2 다음 낱말 뜻을 참고하여 (   ) 안에 들어갈 알맞은 낱말에 ○표를 하세요.

> 뒤쫓다 앞서가는 사람의 뒤를 급히 따라가다.
> 뒤좇다 뒤를 따라 남의 말이나 뜻을 따르다.

종종걸음을 하며 도서관에 가는 친구를
(뒤쫓아 , 뒤좇아) 갔다.

● 「숲속의 대장간」 속 꼬마는 대장간에서 여러 연장을 만드는 일을 하는 대장장이랍니다. 다음 그림 속 인물들이 하는 일을 살펴보고 그 일을 하는 사람을 무엇이라고 불렀는지 보기 에서 각각 찾아 쓰세요.

보기

옹기장수   옹기 파는 일을 직업으로 하는 사람.

뱃사공   주로 노를 저어 배를 조종하는 일을 직업으로 하는 사람.

땔나무꾼   땔나무를 베거나 주워 모으는 것을 직업으로 하는 사람.

물장수   물을 길어다 팔거나 집으로 물을 길어다 주는 것을 직업으로 하는 사람.

4주
3일

 희곡 「숲속의 대장간」의 내용을 떠올리며 **우리 조상들이 어떤 일을 하며 생활했는지, 그 일을 하는 사람을 무엇이라고 불렀는지** 알아봅니다.

노벨

공부한 날   월   일

인물이 살았던 시대 상황을 생각하며 글을 읽어 보자!

인물이 살았던 시대 상황을 생각하며 「노벨」을 읽어 보세요.

글의 내용을 파악하며 인물이 살았던 시대를 짐작할 수 있는

낱말이나 문장을 찾으면서 읽으면 된답니다.

● 오늘 공부할 글과 그림을 미리 보고, 알맞은 낱말을 각각 찾아 표시하세요.

간절한 마음으로 심지에 불을 붙인 노벨은 재빨리 강 쪽으로 던졌다. 나이트로글리세린은 강에 떨어지는 것과 동시에 요란한 소리를 내며 폭발하였다.

1 '폭탄 따위를 터뜨리기 위하여 불을 붙이게 되어 있는 줄.'이라는 뜻의 낱말을 찾아 ○표를 하세요.

2 '시끄럽고 떠들썩한.'이라는 뜻의 낱말을 찾아 △표를 하세요.

노벨이 만든
다이너마이트에
대하여 알아보기

노벨

스스로 독해

점선 부분을 따라 선을 그으며 읽어 보고 노벨이 살았던 시대 상황을 짐작해 보세요.

알프레드 노벨은 나이트로글리세린에 대한 연구를 시작했다. 나이트로글리세린을 유리관에 넣고, 그 관을 다시 검은 화약을 채운 굵은 구리 통 속에 넣었다. 검은 화약 속에 잘 타는 심지를 박고, 그 끝을 밖으로 내놓았다. 그리고 형들이 지켜보는 가운데 실험을 했다.

"㉠제발, 성공하길!"

간절한 마음으로 심지에 불을 붙인 노벨은 재빨리 강 쪽으로 던졌다.

나이트로글리세린은 강에 떨어지는 것과 동시에 요란한 소리를 내며 폭발하였다.

"와, 성공이다!"

나이트로글리세린 화약은 그해 연말에 한 광산에서 처음 사용되었다. 결과는 대성공이었다. 광산 주변의 바위들이 날아가고, 땅속에 묻혀 있던 광석이 금세 드러났다.

이제까지 수많은 사람이 동원되어 며칠씩 파냈던 광석을 네댓 사람이 하루 만에 파낼 수 있게 되었다.

어휘 풀이

- **알프레드 노벨** 스웨덴의 발명가 겸 기업가. 나이트로글리세린 화약을 만들었고, 안전하고 폭발성이 강한 다이너마이트를 발명함.
- **심**|마음 심 心|**지** 폭탄 따위를 터뜨리기 위하여 불을 붙이게 되어 있는 줄.
- **요란**|흔들릴 요 搖, 어지러울 란 亂|**한** 시끄럽고 떠들썩한. ⑩ 요란한 소리에 잠에서 깼다.
- **광석**|쇳돌 광 鑛, 돌 석 石| 경제적 가치가 있고 캘 수 있는 철, 금, 은 등과 같은 광물.
- **동원**|움직일 동 動, 관원 원 員| 어떤 목적을 달성하고자 사람을 모으거나 물건, 수단, 방법 따위를 집중함.

▶ 정답 및 해설 29쪽

1
이해

다음은 노벨이 나이트로글리세린 화약을 만든 과정입니다. 빈칸에 들어갈 알맞은 말을 쓰세요.

나이트로글리세린을 유리관에 넣음. → 그 관을 다시 _____

_____ → 검은 화약

속에 잘 타는 심지를 박고, 그 끝을 밖으로 내놓음.

2
유추

㉠에서 짐작할 수 있는 노벨의 마음으로 알맞은 것은 무엇인가요? ( )

① 슬픈 마음   ② 귀찮은 마음   ③ 부러운 마음

④ 긴장되는 마음   ⑤ 부끄러운 마음

4주
4일

3
유추

스스로 독해 해결!

이 글을 읽고 노벨이 살았던 시대 상황을 알맞게 짐작하여 말한 친구의 이름에 ○표를 하세요.

노벨이 살았던 시대에는 광석을 캐려면 오랜 기간 동안 수많은 사람들이 동원되어 일해야 했나 봐.
민지

노벨이 살았던 시대에는 금, 은과 같은 광물이 별로 인기가 없었던 것 같아.
지우

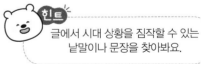
힌트
글에서 시대 상황을 짐작할 수 있는 낱말이나 문장을 찾아봐요.

4
요약

이 글의 내용을 정리하여 빈칸에 알맞은 말을 각각 쓰세요.

알프레드 노벨은 연구를 하여 나이트로글리세린 ❶ _____ 을 만드는 데 성공하였다. 노벨이 만든 화약은 한 광산에서 처음 사용되었고 성공적인 결과를 가져왔다. 이로 인해 이제까지 수많은 사람들이 동원되어 며칠씩 파냈던 광석을 네댓 사람이 ❷ _____ 만에 파낼 수 있게 되었다.

1　다음 밑줄 그은 낱말의 뜻을 찾아 각각 선으로 이으세요.

(1)　검은 화약 속에 잘 타는 심지를 <u>박다</u>.

・

・①　틀어서 꽂히게 하다.

(2)　급하게 일어나다 벽에 머리를 <u>박다</u>.

・

・②　인쇄물 따위에 글자나 그림을 집어넣다.

(3)　잡지 표지에 영화배우의 얼굴을 <u>박다</u>.

・

・③　머리 따위를 부딪치다.

2　다음 낱말들 앞에 '대(大)' 자가 붙으면 어떤 뜻이 더해지는지 알맞게 말한 친구의 이름에 ◯표를 하세요.

> 성공　　　강당
>
> 도시　　　공사　　　공원

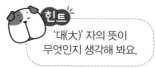
'대(大)' 자의 뜻이 무엇인지 생각해 봐요.

● 다음 「노벨」의 뒷이야기를 읽고 노벨상이 어떻게 만들어졌는지 빈칸에 알맞은 말을 각각 쓰세요.

많은 실험을 한 결과 노벨은 안전하고 폭발성이 강한 폭약을 만드는 데 성공했어요.

이 폭약의 이름을 다이너마이트라고 불러야지.

노벨의 다이너마이트 없이는 공사를 진행할 수 없었으므로 회사는 나날이 번창했어요.

금방 부자가 되겠는걸.

그런데 자신이 발명한 다이너마이트가 전쟁에서 무기로 쓰이는 것을 알게 되면서 고민이 많아졌어요.

내가 만든 다이너마이트로 사람들을 죽이고 있다니……

예순 살이 넘은 노벨은 건강이 점점 나빠졌어요.

내 재산을 인류에 도움이 되는 일에 사용해야겠어.

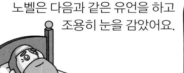

노벨은 다음과 같은 유언을 하고 조용히 눈을 감았어요.

내 재산으로 기금을 만들어 일 년 동안 인류를 위하여 가장 훌륭한 일을 한, 다음과 같은 사람들에게 상금을 주도록 한다.
1. 물리학에서 가장 중요한 발견이나 발명을 한 사람
2. 화학에서 가장 중요한 발견이나 발명을 한 사람
3. 생리학 또는 의학에서 가장 중요한 발견이나 발명을 한 사람
4. 문학에서 가장 뛰어난 작품을 쓴 사람
5. 국가 간의 우애를 돈독히 하기 위하여 또는 군대를 없애거나 줄이기 위하여 또는 평화 회의를 열거나 세계 평화를 위하여 가장 훌륭한 일을 한 사람

노벨은 자신이 만든 다이너마이트가 전쟁에서 사람을 죽이는 (1)   로 사용되고 있음을 알고 전 재산을 (2)   에 도움이 되는 일에 써야겠다고 생각했어요. 그래서 유언으로 인류를 위하여 가장 훌륭한 일을 한 사람에게 상금을 주라고 하였고, 이것이 오늘날 우리가 알고 있는 노벨상이에요.

「노벨」의 내용을 떠올리며 **노벨상의 유래**에 대해 알아봅니다.

사나운 개를 만났을 때 대처 방법

공부한 날   월   일

글의 주요 내용을 찾아라!

「사나운 개를 만났을 때 대처 방법」을 읽으며 주요 내용을 찾아보세요.
제목을 보고 어떤 내용인지 짐작하고 무엇을 설명하고 있는지
확인하며 읽으면 된답니다.

◉ 오늘 공부할 글의 그림을 미리 보고, 빈칸에 알맞은 낱말을 보기 에서 각각 찾아 쓰세요.

보기

본능   위협   정면   도망   유도

❶

학습이나 경험에 의하지 않고 태어날 때부터 가지고 있는 습성이나 능력.

㉠ 개의 공격 ○○을 자극할 수 있으므로 뒤돌아 도망치지 말아야 한다.

❷

힘으로 으르고 협박함.

㉠ 흥분한 개의 눈을 똑바로 쳐다보지 말고 ○○을 하는 행동을 하면 안 된다.

❸

사람이나 물건을 목적한 장소나 방향으로 이끎.

㉠ 개가 흥미를 잃도록 ○○할 수 있다.

개를 기를 때
주의할 점
알아보기

사나운 개를 만났을 때 대처 방법

스스로 독해

사나운 개를 만났을 때 어떻게 해야 할까요? 점선 부분을 따라 선을 그으며 읽어 보고 주요 내용을 찾아 정리해 보세요.

개는 훈련을 받았더라도 본능에 따르는 경우가 많아서 한순간이라도 방심하면 안 된답니다. 그럼 사나운 개를 만났을 때 어떻게 해야 할까요?

☞ 소리 지르거나 뒤돌아 달리지 마세요. 우리가 갑자기 소리를 지르거나 도망치면 개의 공격 본능을 자극할 수 있어요.

☞ 개의 눈을 똑바로 쳐다보지 마세요. 개는 자신을 ㉠똑바로 쳐다보는 행동을 공격의 의미로 받아들이기 때문이에요.

☞ 팔을 휘둘러 위협하지 말고 제자리에 가만히 있어야 해요. 그러면 개가 흥미를 잃도록 유도할 수 있어요.

☞ 개가 공격할 때에는 자신의 목을 감싸 쥐세요. 개들은 본능적으로 목덜미를 물어 흔들면서 공격하기 때문이에요.

어휘 풀이

▼ **대처**|대답할 대 對, 곳 처 處| 일이 되어 가는 형편이나 사건에 대하여 알맞은 조치를 취함.

▼ **본능**|근본 본 本, 능할 능 能| 학습이나 경험에 의하지 않고 태어날 때부터 가지고 있는 습성이나 능력.

▼ **방심**|놓을 방 放, 마음 심 心| 마음을 다잡지 않고 풀어 놓아 버림. ㉖ 방심하지 말고 노력하라.

▼ **위협**|위엄 위 威, 으를 협 脅| 힘으로 으르고 협박함. ㉖ 위협을 물리치고 정당한 경기를 펼쳤다.

▼ **유도**|꾈 유 誘, 이끌 도 導| 사람이나 물건을 목적한 장소나 방향으로 이끎.

1 이 글에서 설명하고 있는 내용은 무엇인가요? (   )

이해

① 사나운 개를 공격하는 방법

② 개를 산책시킬 때 주의할 점

③ 사나운 개를 훈련시키는 방법

④ 개에게 물렸을 때 대처하는 방법

⑤ 사나운 개를 만났을 때 대처하는 방법

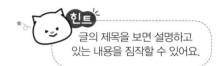

힌트
글의 제목을 보면 설명하고 있는 내용을 짐작할 수 있어요.

2 ㉠'똑바로'의 뜻으로 알맞은 것에 ○표를 하세요.

어휘

(1) 틀리거나 거짓 없이 사실대로.   (   )

(2) 어느 쪽으로도 기울지 않고 곧게.   (   )

서술형

3 개가 공격할 때 자신의 목을 감싸 쥐어야 하는 까닭을 쓰세요.

이해

개는 본능적으로 _____

_____ 때문이다.

스스로 독해 해결!

4 사나운 개를 만났을 때 어떻게 대처해야 하는지 생각하여 빈칸에 알맞은 말을 각

요약 각 쓰세요.

• ❶ [   ] 지르거나 뒤돌아 달리지 않는다.

• 개의 ❷ [   ] 을 똑바로 쳐다보지 않는다.

• 팔을 휘둘러 ❸ [   ] 하지 말고 제자리에 가만히 있는다.

• 개가 공격할 때에는 자신의 ❹ [   ] 을 감싸 쥔다.

1 다음 문장들의 빈칸에 공통으로 들어갈 알맞은 낱말을 보기 에서 찾아 ○표를 하세요.

> 보기
>
> 순간   방심   본능   방법   자신

• ⬚⬚⬚⬚ 을 해서는 안 된다. 긴장을 늦추지 말고 준비하라.

• 적은 우리의 ⬚⬚⬚⬚ 을 틈타 공격해 올지도 모른다.

• ⬚⬚⬚⬚ 하는 사이에 동생이 나의 뒤를 바짝 따라왔다.

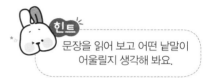

힌트
문장을 읽어 보고 어떤 낱말이
어울릴지 생각해 봐요.

2 다음 밑줄 그은 속담의 뜻으로 알맞은 것에 ○표를 하세요.

(1) 너무도 어이없고 같잖은 일임을 빗대어 이르는 말. (   )

(2) 자기는 더 큰 흉이 있으면서 도리어 남의 작은 흉을 본다는 말. (   )

(3) 애써 하던 일이 실패로 돌아가거나 남보다 뒤떨어져 어찌할 도리가 없이 됨을
빗대어 이르는 말. (   )

● 사나운 개를 만났을 때 어떻게 해야 하는지 잘 알았지요? 이번에는 공공장소에서 개를 산책시킬 때에는 어떻게 해야 하는지 알아볼까요? 개를 산책시킬 때 지켜야 할 예절이 무엇인지 생각하며 빈칸에 알맞은 말을 각각 쓰세요.

❶ 우리 개는 크고 사나우니까 입마개를 꼭 해야 해.
수정

❷ 우리 집 개는 목줄을 하면 아파하니까 풀어 줘야지.
재호

❸ 배변 봉투를 준비해서 개의 변은 꼭 치워야 해.
민지

❹ 개를 싫어하는 사람이 있을 수 있으니 주위 사람들한테 너무 가까이 가지 않도록 해야겠어.
성수

개를 산책시킬 때 지켜야 할 예절을 알맞게 말한 친구는 (1) _____ , _____ , _____ 이고, 그 친구들의 개가 입고 있는 옷에 새겨진 알파벳을 차례대로 합치면 '반려동물'이라는 뜻의 영어 단어 (2) _____ 이 만들어져요.

🔍 「사나운 개를 만났을 때 대처 방법」의 내용을 떠올리며 **공공장소에서 개를 산책시킬 때 지켜야 할 예절**을 알아보고 **반려동물을 뜻하는 영어 단어**를 익혀 봅니다.

[1~2] 다음 글을 읽고, 물음에 답하세요.

> "너희들은 ㉮떼를 지어 거슬러 오르기 때문에 아름다운 거야."
>
> 초록 강이 은빛 연어와 눈 맑은 연어의 이야기를 듣고 있다가 말했다.
>
> "거슬러 오른다는 건 뭐죠?"
>
> "거슬러 오른다는 것은 지금 보이지 않는 것을 찾아간다는 뜻이지. 꿈이랄까, 희망 같은 거 말이야. 힘겹지만 아름다운 일이란다."

1 연어에게 거슬러 오른다는 것이 의미하는 것을 골라 기호를 쓰세요.

> ㉠ 꿈과 희망을 찾아가는 것
> ㉡ 지금 보이는 것을 찾아가는 것

(   )

2 ㉮와 바꾸어 쓸 수 있는 낱말을 골라 ◯표를 하세요.

(짝 , 무리 , 독립)

[3~5] 다음 글을 읽고, 물음에 답하세요.

> 정말 놀랍게도 아카시아는 기린이 자신의 잎을 뜯어 먹으면 고약한 맛을 내는 물질을 만들어 잎으로 퍼뜨린다고 해. 그와 동시에 다른 아카시아에게도 냄새로 신호를 보낸다는 거야. / 그리고 그 신호를 전달받은 아카시아들은 ㉠ 몇 분 만에 잎에서 쓴맛이 나도록 만들어서, 기린이 어린 나뭇잎을 뜯어 먹지 못하도록 한다는 거지.

3 기린이 아카시아의 잎을 먹을 때 아카시아에게 일어나는 일로 알맞은 것을 두 가지 고르세요. (   )

① 자신의 잎을 따갑게 만든다.
② 자신의 잎을 시들게 만든다.
③ 자신의 잎을 부드럽게 만든다.
④ 고약한 맛을 내는 물질을 자신의 잎으로 퍼뜨린다.
⑤ 기린이 자신의 잎을 먹는다는 신호를 다른 아카시아에게 보낸다.

4 다음 그림과 같이 아카시아가 다른 아카시아에게 신호를 보내는 까닭은 무엇인지 알맞은 것에 ◯표를 하세요.

(1) 기린이 자신의 잎을 뜯어 먹게 하려고
(   )

(2) 기린이 어린 나뭇잎을 뜯어 먹지 못하도록 하려고
(   )

5 ㉠ 안에 들어갈 낱말에 ◯표를 하세요.

(한창 , 설마 , 겨우)

▶ 정답 및 해설 30쪽

점수

[6~7] 다음 글을 읽고, 물음에 답하세요.

> 토끼: 아저씨, 살려 주세요! 사냥꾼이 뒤쫓아
> 와요.
> 꼬마: 뭐, 사냥꾼이?
> 토끼: 절 좀 숨겨 주세요.

6 토끼의 상황으로 알맞은 말을 ( ) 안에
쓰세요.

- 토끼가 ( )에게 쫓기
  고 있다.

7 토끼의 말에 어울리는 목소리는 무엇인가요?
( )

① 슬픈 목소리   ② 급한 목소리

③ 느긋한 목소리   ④ 신나는 목소리

⑤ 궁금해하는 목소리

[8~9] 다음 글을 읽고, 물음에 답하세요.

> 간절한 마음으로 심지에 불을 붙인 노벨은
> 재빨리 강 쪽으로 던졌다.
> 나이트로글리세린은 강에 떨어지는 것과
> 동시에 요란한 소리를 내며 폭발하였다.
> "와, 성공이다!"
> 나이트로글리세린 화약은 그해 연말에 한
> 광산에서 처음 사용되었다. 결과는 대성공이
> 었다. 광산 주변의 바위들이 날아가고, 땅속
> 에 묻혀 있던 광석이 ㉠금새 드러났다.
> 이제까지 수많은 사람이 동원되어 며칠씩
> 파냈던 광석을 네댓 사람이 하루 만에 파낼
> 수 있게 되었다.

8 노벨이 나이트로글리세린 화약을 만든 결과
어떤 일이 일어났는지 알맞게 말한 친구의
이름을 쓰세요.

> 재훈: 땅속에 묻혀 있던 광석이 산산조
> 각나면서 더 이상 광석을 캘 수 없게
> 되었어.
> 은유: 수많은 사람들이 며칠씩 파냈던
> 광석을 네댓 사람이 하루 만에 파낼 수
> 있게 되었어.

( )

9 ㉠'금새'를 바르게 고쳐 쓰세요.

( )

10 사나운 개를 만났을 때 개의 눈을 똑바로 쳐
다보면 안 되는 까닭으로 알맞은 것에 ◯표
를 하세요.

> 개의 눈을 똑바로 쳐다보지 마세요. 개
> 는 자신을 똑바로 쳐다보는 행동을 공격
> 의 의미로 받아들이기 때문이에요.
>
>

(1) 자신과 놀고 싶다는 의미로 받아들이기
때문에   ( )

(2) 자신을 공격하겠다는 의미로 받아들이
기 때문에   ( )

4주
평가

창의

1 다음 만화를 읽고, 4주차에서 배운 낱말을 떠올려 어휘 퀴즈에 알맞은 낱말을 빈칸에 각각 쓰세요.

▶ 정답 및 해설 31쪽

🐻 **어휘 퀴즈**

❶ '폭탄 따위를 터뜨리기 위하여 불을 붙이게 되어 있는 줄.'을 뜻하는 말은? →

❷ '○○한 나머지 쉬운 수학 문제를 틀리고 말았다.'의 빈칸에 들어갈 알맞은 말은?

→

❸ '언행이나 상태가 보통과 아주 다르게. 또는 언행이 두드러지게 남과 달라 예측할 수 없게.'를 뜻하는 말은? →

코딩
2 「숲속의 대장간」에서 사냥꾼에게 쫓기고 있는 토끼를 숨겨 주려고 해요. 다음 코딩 명령을 따라가면 어디에 토끼를 숨겨 줄 수 있는지 알맞은 장소에 ◯표를 하세요.

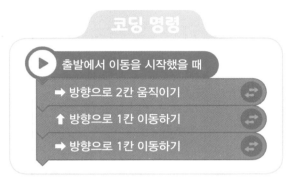

> 코딩 명령
> ▶ 출발에서 이동을 시작했을 때
> → 방향으로 2칸 움직이기
> ↑ 방향으로 1칸 이동하기
> → 방향으로 1칸 이동하기

오른쪽으로 두 칸, 위쪽으로 한 칸, 오른쪽으로 한 칸 이동해요.

 토끼가 숨을 곳은 (수풀 , 장작더미 , 솥 안 , 장독대)이에요.

3 노벨의 다이너마이트 개발이 노벨상이 생겨난 배경이 되었다는 것을 배웠어요. 노벨상 수상자의 대표적 인물인 마리 퀴리에 대한 만화를 보고 빈칸에 알맞은 말을 쓰세요.

마리 퀴리는 1876년 폴란드의 가난한 교육자 집안에서 태어났어요.

프랑스로 유학을 간 마리 퀴리는 그곳에서 남편 피에르 퀴리를 만났어요.

두 사람은 우라늄보다 훨씬 강한 방사능 물질을 발견하고 그 원소의 이름을 '라듐'이라고 지었어요.

라듐의 발견으로 피에르 퀴리와 마리 퀴리는 노벨 물리학상을 공동으로 수상하게 되었어요.

하지만 그 뒤 남편 피에르 퀴리가 사고로 죽게 되었어요.

이후 마리 퀴리는 라듐 원자량의 정밀한 측정과 금속 라듐 분리의 성공으로 또 다시 노벨 화학상을 수상하였어요.

이로써 마리 퀴리는 여성 최초 노벨상 수상자이자 두 분야의 노벨상 수상이라는 기록을 가지게 되었어요.

 마리 퀴리는 라듐의 발견으로 노벨 (1) (   )을 받고 이후에 노벨 (2) (   )을 또 받으면서 여성 최초 수상자이자 두 분야의 노벨상 수상이라는 명예를 안게 되었어요.

창의
4
생활 어휘

다음 수영 금지 안내문을 보고 알맞은 말에 각각 ◯표를 하세요.

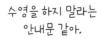
수영을 하지 말라는
안내문 같아.

수영 금지 안내문

이 계곡은 불규칙한 수심과 급류로
인한 사고 발생 위험이 많은 곳이므로
수영이나 다이빙 등의 물놀이를 일절
금지합니다.

◯◯시장·◯◯소방서장

왜 안 된다는 거지?
하고 싶은데!

얘들아! 이 계곡은 물의 (1) (깊이 , 넓이)가 일정하지 않고 물이 (2) (빠른 , 느린)
속도로 흘러서 사고가 날 위험이 많대. 그래서 수영이나 다이빙 등의 물
놀이를 하지 말라고 하는 거야. 이런 표지판이 있는 곳에서는 절대 수영
이나 다이빙과 같은 물놀이를 하면 안 돼. 잘 알았지?

💬 **어휘 풀이** --

▼ **수심** |물 수 水, 깊을 심 深| 　강이나 바다, 호수 따위의 물의 깊이. 예 <u>수심</u>이 깊은 곳은 더욱 조심하여야 한다.

▼ **급류** |급할 급 急, 흐를 류 流| 　물이 빠른 속도로 흐름. 또는 그 물. 예 소가 <u>급류</u>에 휩쓸려 떠내려갔다.

▼ **일절** |하나 일 一, 끊을 절 切| 　아주, 전혀, 절대로의 뜻으로, 흔히 행위를 그치게 하거나 어떤 일을 하지 않을
　　때에 쓰는 말. 예 피시방 출입을 <u>일절</u> 금지한다.

창의 5

생활 한자

石(돌 석) 자에 대해 알아보고, 다음 물음에 답하세요.

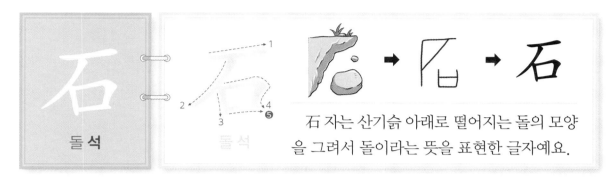

돌 석

돌 석

石 자는 산기슭 아래로 떨어지는 돌의 모양을 그려서 돌이라는 뜻을 표현한 글자예요.

(1) 石 자가 들어간 낱말을 알아보고, 한자의 음을 쓰세요.

① 공원에 설치된 石塔은 매우 튼튼하게 만들어졌다.

탑

힌트
158쪽에서 공부한 '광석'에 쓰인 石(돌 석) 자에 대해 알아보아요.

4주
특강

② 현대 사회에서 石油는 매우 중요한 자원이다.

유

(2) 한자 성어의 뜻을 알아보고, 빈칸에 알맞은 한자를 쓰세요.

他 山 之 石
다를 타 산 산 갈 지 돌 석

남의 좋지 않은 말이나 행동도 자신의 지식이나 인격을 수양하는 데에 도움이 될 수 있음을 이르는 말.

• 다른 산의 나쁜 돌이라도 자신의 옥돌을 가는 데에 쓸 수 있는 것처럼, 친구의 실수를

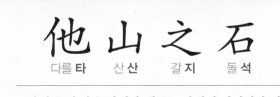 他 山 之 ☐ (타산지석)으로 삼아 침착하게 행동해야겠다.

똑똑한 하루 독해 한권 끝!

독해 공부 하느라 수고했어요.
약속을 잘 지켰는지 돌아보고 ◯표를 하세요.

약속한 사람 _____

첫째, 하루하루 빠짐없이 꾸준히 공부했나요?　　　　　　예　　아니요

둘째, 하루 독해 문제를 끝까지 다 풀었나요?　　　　　　예　　아니요

셋째, 틀린 문제는 왜 틀렸는지 다시 한번 확인했나요?　　예　　아니요

약속을 잘 지키지 못한 부분은 스스로 돌아보고,
다음 단계를 공부할 때에는 더 열심히 해 봐요!

그럼, 다음 책으로 고고!

기초
학습능력 강화
프로그램

정답 및 해설

똑똑한
하루
독해

4 단계
A
3~4학년

천재교육

정답과 해설
포인트 3가지

▶ 혼자서도 이해할 수 있는 친절한 문제 풀이

▶ 문제 해결에 도움을 주는 '더 알아보기'와
 틀린 부분을 짚어 주는 '왜 틀렸을까?'

▶ 예시 답안과 채점 기준 제시로 서술형 문항 완벽 대비

똑똑한 하루 독해

정답 및 해설

빠른 정답

1주

010쪽~011쪽

1주에는 무엇을 공부할까? ②

1-1 (1) ○
1-2 유리
2-1 (1) ○
2-2 매고

012쪽~017쪽 1주 1일

독해 미리 보기

❶ 무릎　　　❷ 지켜

독해

1 ③　　　**2** 집으로 데려다주고 등
3 (2) ○　　**4** ❶ 녀석　❷ 구경　❸ 다리

독해 어휘

1 (1) ②　(2) ①　(3) ③　　**2** 걸음

독해 게임

(3) ○

018쪽~023쪽 1주 2일

독해 미리 보기

1 포장　　　**2** 효과

독해

1 ①, ②　　**2** 퍼져서 쫄깃한 맛을 등
3 (2) ○　　**4** ❶ 빨리　❷ 흡수　❸ 부피

독해 어휘

1 붇고　　　**2** (1) ○

독해 게임

2000

024쪽~029쪽 1주 3일

독해 미리 보기

❶ 고추밭　　❷ 솎아

독해

1 ①, ③　　**2** (1) (몸부림치는) 지렁이 등
(2) (몸을 꼬는) 배추벌레 등　　**3** (1) ○
4 ❶ 지렁이　❷ 배추벌레　❸ 놀란

독해 어휘

1 (1) 동물　(2) 식물　　**2** (1) 나무　(2) 갈대

독해 게임

배추흰나비

030쪽~035쪽 1주 4일

독해 미리 보기

1 손잡이　　**2** 곡식

독해

1 기가 막히는 듯하다. 등　　**2** (2) ○
3 ②　　　　　　　　　　　**4** ❶ 맷돌　❷ 뜻밖

독해 어휘

1 (1) 어떡해　(2) 어떻게　　**2** (1) ○

독해 게임

㉠	㉢	㉡	㉣

036쪽~041쪽 1주 5일

독해 미리 보기

❶ 준비　　❷ 간격　　❸ 순서

독해

1 ③　　　**2** 일정한 간격으로 띄우고 등
3 ④　　　**4** ❶ 고정　❷ 실　❸ 젓가락

독해 어휘

1 묶는다　　**2** (1) 숟가락　(2) 젓가락

독해 게임

누구나 100점 테스트

1 왈 왈왈.　　**2** ③　　　　**3** (1) 무릎　(2) 거름

4 ②, ⑤　　**5** (1) ①　(2) ③　(3) ②

6 지렁이, 배추벌레　　**7** ②

8 ㉢　　**9** ㉠　　**10** ①

1주 특강

1 ❶ 명아주　❷ 부피　❸ 계량스푼

2 ❶ 2　❷ 2　❸ 1　❹ 1　❺ 2

3 (1) 기름　(2) 산소

4 (1) 끓을　(2) 새고　(3) 모아

5 (1) ① | 과 | 수 | 원 |　② | 과 | 실 | 즙 |

　　(2) | 因 | 果 | 應 | 報 |

2주

2주에는 무엇을 공부할까? ❷

1-1 (1) ○　　　**1-2** 선고

2-1 (2) ○　　　**2-2** 기상청

2주 1일

독해 미리 보기

1 징역　　**2** 감옥살이

독해

1 ㉮　　　　　**2** 조카들을 배불리 먹일 등

3 (1) ○　　　**4** ❶ 조카　❷ 감옥살이

독해 어휘

1 (1) 잡았다　(2) 잡혔다

2 (1) 감옥　(2) 타향　(3) 시집

독해 게임

5400, 600

2주 2일

독해 미리 보기

❶ 육각형　　❷ 불순물　　❸ 구조

독해

1 ②　　　　　**2** 사이사이에 빈틈 등

3 (1) ②　(2) ①　　　**4** ❶ 빈틈　❷ 육각형

독해 어휘

1 (1) 사　(2) 육　(3) 팔　　**2** (1) 편　(2) 강　**3** 저장

독해 게임

(1) 8자　(2) 멀다

2주 3일

독해 미리 보기

❶ 전시장　　❷ 왕성　　❸ 활기

독해

1 (4) ○

2 (1) 나의 소중한 남덕 씨.　(2) 그대의 구촌

3 ❶ 편지　❷ 서울

독해 어휘

1 (3) ○　　　**2** (1) 나흘　(2) 엿새　(3) 열흘

3 (2) ○

독해 게임

과	수	원

| 과 | 수 | 원 |

빠른 정답

072쪽~077쪽 2주 4일

독해 미리 보기

❶ 미로 ❷ 관광객

독해

1 ② **2** 무척 시원해서 등 **3** (1) ○

4 ❶ 바위 ❷ 지하 ❸ 로마

독해 어휘

1 (1) 지상 (2) 출구 **2** (1) 우뚝 (2) 숭숭

3 (1) 방청 (2) 등산

독해 게임

독해 게임

084쪽~085쪽 누구나 100점 테스트

1 빵 (한 덩어리) **2** ③ **3** 탈출

4 ③ **5** ③, ④ **6** ③ **7** 첫인사

8 의견 **9** ③, ⑤ **10** 은성

086쪽~091쪽 2주 특강

1 ❶ 면적 ❷ 건조 ❸ 동반

2 3, 3

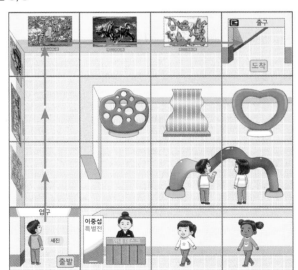

3 (1) 미리내 (2) 니다

4 (1) 도망친 (2) 본 (3) 정보를 제공해

5 (1) ① 강 풍 ② 풍 선

   (2) 馬 耳 東 風

078쪽~083쪽 2주 5일

독해 미리 보기

❶ 동반 ❷ 강타 ❸ 피해

독해

1 ③ **2** ① **3** 낙하물로 인한 피해 등

4 ❶ 창틀 ❷ 손전등

독해 어휘

1 (1) ○ **2** (1) 예보 (2) 동반 **3** 남쪽

3주에는 무엇을 공부할까? ❷

1-1 상투쟁이　　　　**1-2** 쟁이
2-1 (2) ○　　　　　**2-2** 반사

3주 **1**일

독해 미리 보기
❶ 따갑고　　❷ 켜는

독해
1 양초가 무엇에 쓰는 물건인지 물어보기 등　**2** ②
3 진수　　**4** ❶ 양초　❷ 불

독해 어휘
1 (3) ○　　**2** 지민　　**3** (1) 가치　(2) 부치니

독해 게임
(1) 7(일곱)　(2) 6, 42　(3) 42, 14

3주 **2**일

독해 미리 보기
❶ 우주복　❷ 발사　❸ 지구

독해
1 공기　　**2** 뜨거워서 견디지 못할 것이다. 등
3 ②　　　**4** ❶ 흰색　❷ 태양　❸ 구조 대원

독해 어휘
1 (1) 띤　(2) 띄지　　**2** (1) 입어, 반사하는, 뜨거워서, 흡수하는　(2) 태양, 공기, 우주복

독해 게임
(1) 검은색　(2) 지방층

3주 **3**일

독해 미리 보기
❶ 담요　　❷ 꿈쩍이며

독해
1 태영　　**2** 자신도 꼼지락 돌아누웠다. 등
3 ㉢　　　**4** ❶ 담요　❷ 발

독해 어휘
1 (1) 팔짝팔짝　(2) 느릿느릿　　**2** (1) 필　(2) 대

독해 게임
사랑해요

3주 **4**일

독해 미리 보기
1 민족　　**2** 야만인

독해
1 서로 같은 민족이라는 등　　　**2** ③
3 영진　　**4** ❶ 올림피아　❷ 월계관

독해 어휘
1 (1) ②　(2) ①　　　**2** (1) 원반　(2) 던져서

독해 게임
(1) 유럽　(2) 아메리카　(3) 힘을 모으자는

3주 **5**일

독해 미리 보기
❶ 반응　　❷ 압박　　❸ 밀착

독해
1 ②　　　**2** ②　　　**3** 환자의 코를 막고 입을 밀착시켜야 한다. 등
4 ❶ 반응　❷ 압박　❸ 인공호흡

독해 어휘
1 정희　　**2** (1) 반응　(2) 밀착

독해 게임

누구나 100점 테스트

1 양초	**2** ②	**3** (1) ○	**4** 주황색
5 ⑤	**6** ④	**7** (2) ○	**8** (1) 776
(2) 4	**9** ㉮	**10** 깍지, 깍지	

3주 특강

1 ❶ 무식   ❷ 야만인   ❸ 조상

2 (1) ○

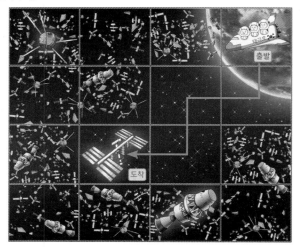

3 (1) 26   (2) 8

4 (1) 오랜   (2) 내버려   (3) 버린다

5 (1) ① 심 신   ② 안 심

(2) 以 心 傳 心

4주

4주에는 무엇을 공부할까? ❷

1-1 때, 떼	**1-2** 떼
2-1 (2) ○	**2-2** (2) ○

4주 **1**일

독해 미리 보기

1 물드는   **2** 상류

독해

1 ①   **2** 강을 거슬러 오르기 등   **3** ⑤

4 ❶ 알   ❷ 이유

독해 어휘

1 (1) 성인   (2) 모두   **2** 수영   **3** 살미란

독해 게임

4주 **2**일

독해 미리 보기

❶ 신호   ❷ 유난히   ❸ 전달

독해

1 아카시아   **2** ③

3 아주 써지기 등   **4** ❶ 신호   ❷ 냄새

독해 어휘

1 (1) 짠맛   (2) 신맛   (3) 단맛   (4) 쓴맛   (5) 매운맛

2 (2) ○

독해 게임

❶ 털   ❷ 가시   ❸ 독   ❹ 냄새

150쪽～155쪽 4주 3일

독해 미리 보기

❶ 대장간　❷ 사냥꾼

독해

1 사냥꾼이 뒤쫓아 오기 등　　2 ④

3 (2) ○　　4 ❶ 토끼 ❷ 솥

독해 어휘

1 (1) 보글보글 (2) 껑충껑충　　2 뒤쫓아

독해 게임

❶ 땔나무꾼 ❷ 물장수 ❸ 뱃사공 ❹ 옹기장수

156쪽～161쪽 4주 4일

독해 미리 보기

1 심지　　2 요란한

독해

1 검은 화약을 채운 굵은 구리 통 속에 넣음. 등

2 ④　　3 민지　　4 ❶ 화약 ❷ 하루

독해 어휘

1 (1) ① (2) ③ (3) ②　　2 정은

독해 게임

(1) 무기 (2) 인류

162쪽～167쪽 4주 5일

독해 미리 보기

❶ 본능　　❷ 위협　　❸ 유도

독해

1 ⑤　　2 (2) ○

3 목덜미를 물어 흔들면서 공격하기 등

4 ❶ 소리 ❷ 눈 ❸ 위협 ❹ 목

독해 어휘

1 방심　　2 (2) ○

독해 게임

(1) 수정, 민지, 성수 (2) PET(펫)

168쪽～169쪽 누구나 100점 테스트

1 ㉠　　2 무리　　3 ④, ⑤　　4 (2) ○

5 겨우　　6 사냥꾼　　7 ②　　8 은유

9 금세　　10 ② ○

170쪽～175쪽 4주 특강

1 ❶ 심지 ❷ 방심 ❸ 유난히

2 장작더미

3 (1) 물리학상 (2) 화학상

4 (1) 깊이 (2) 빠른

5 (1) ① 석 탑 ② 석 유

(2) 他 山 之 石

다음 권에서
다시 만나요~!

010쪽~011쪽 | **1주에는 무엇을 공부할까? ❷**

1-1 (1) ○　　　　　1-2 유리
2-1 (1) ○　　　　　2-2 매고

1-1 '유리하다'는 '이익이 있다.'라는 뜻입니다. 그러므로 작은 봉지에 엄청난 길이의 면발을 넣기에 꼬불꼬불한 모양이 유리하다는 것은, 꼬불꼬불한 모양의 면발이 작은 봉지에 넣기 더욱 좋다는 뜻입니다.

1-2 벼농사를 짓기에 이익이 있는 조건을 묻는 것이므로 낱말 '유리'를 써야 합니다.

2-1 '매다'는 '논밭에 난 잡풀을 뽑다.'라는 뜻입니다. (2)는 '메다'의 뜻입니다.

2-2 농부들이 잡초를 뽑고 있다고 하였으므로 '논을 매다'가 알맞은 표현입니다.

013쪽 | 똑똑한 하루 독해 **미리 보기**

❶ 무릎　　　❷ 지켜

014쪽~015쪽 | 똑똑한 하루 독해

1 ③　　　　2 집으로 데려다주고 등　　　3 (2) ○
4 ❶ 녀석　❷ 구경　❸ 다리

1 무릎을 다친 '녀석'은 '나'를 찾은 뒤에 펑펑 울면서 '나'의 뒤를 따라가고 있습니다. '녀석'은 '내'가 멈춰 서면 걸음이 느려집니다.

2 ㉠에서 '나'는 '녀석'을 지켜 주고, '녀석'을 집으로 데려다주고 싶어 합니다.

　　채점 기준
　　집으로 데려다주고 싶은 마음을 앞뒤 말에 이어지게 썼으면 정답으로 합니다.

3 이 글에는 '내'가 "월월 월.", "왈 왈왈." 하며 소리쳤다는 내용과 '나'의 꼬리가 저절로 흔들렸다는 내용이 나옵니다. 이를 바탕으로 '나'는 강아지라는 것을 짐작할 수 있습니다.

4 '녀석'은 펑펑 울면서 강아지인 '나'의 뒤를 따라왔습니다. '내'가 멈춰 서면 '녀석'의 걸음도 느려졌습니다. 사람들이 이 모습을 신기한 구경을 하듯 바라보았습니다. '나'는 코끝이 간지러웠습니다. 그리고 다리가 날아갈 듯 가벼웠습니다. 힘차게 달려 나가는 '나'의 꼬리가 저절로 흔들렸습니다.

016쪽 | 똑똑한 하루 독해 **어휘**

1 (1) ②　(2) ①　(3) ③　　2 걸음

1 (1) '천천히'는 '동작이나 태도가 급하지 않고 느리게.'라는 뜻으로, '서서히'와 뜻이 비슷한 말입니다.
　(2) '시선'은 '눈이 가는 길. 또는 눈의 방향.'이나 '주의 또는 관심을 비유적으로 이르는 말.'을 뜻하는 것으로, '눈길'과 뜻이 비슷한 말입니다.
　(3) '힘차게'는 '힘이 있고 씩씩하게.'라는 뜻으로, '기운차게'와 뜻이 비슷한 말입니다.

2 '걸음'과 '거름' 중 느려질 수 있는 것은 '걸음'이므로 빈칸에는 '두 발을 번갈아 옮겨 놓는 동작.'이라는 뜻의 '걸음'이 들어가야 알맞습니다.

　　［ 왜 틀렸을까? ］
　　'거름'은 '식물이 잘 자라도록 땅을 기름지게 하기 위하여 주는 물질.'을 뜻하므로, '밭에 거름을 주었다.'와 같이 사용할 수 있습니다.

017쪽 | 똑똑한 하루 독해 **게임**

(3) ○

◉ 「언젠가는 나도」에서 '나'의 특징이 나타난 부분을 찾으면 '나'는 어떤 동물인지 알 수 있습니다. '지금은 볼품없는 꽁지로 / 숨죽여 사는 올챙이지만'과 '지금은 좁은 물웅덩이에 갇혀 사는 / 어린 올챙이지만'으로 보아 '나'는 올챙이라는 것을 알 수 있습니다.

019쪽

1 포장 **2** 효과

020쪽~021쪽

1 ①, ② **2** 퍼져서 쫄깃한 맛을 등
3 (2) ○ **4** ❶ 빨리 ❷ 흡수 ❸ 부피

1 '라면을 맛있게 먹으려면 짧은 시간에 끓여 내야 해. 그래야 면발이 덜 붇고 쫄깃하거든.'에서 라면을 짧은 시간에 끓여 내면 좋은 점을 알 수 있습니다.

2 라면을 오래 끓일 경우 면발이 퍼져서 쫄깃한 맛을 즐길 수 없다고 하였습니다.

> **채점 기준**
> 면발이 퍼진다는 내용과 쫄깃한 맛을 즐길 수 없다는 내용을 앞뒤 말에 이어지게 썼으면 정답으로 합니다.

3 '꼬불꼬불한'은 '이리저리 고부라져 있는.'이라는 뜻이므로, 뱀이 기어가는 모습과 어울리는 말입니다. '꼬불꼬불한 뱀'이라고 표현하면 자연스럽습니다.

> **《 왜 틀렸을까? 》**
> (1): 통나무는 곧고 단단한 모습이므로, '꼬불꼬불한 통나무'와 같이 표현할 수 없습니다.
> (3): 원뿔 모양의 모자에 동그란 모양의 무늬가 있고, 위에 별 모양의 장식이 달려 있는 모습이므로, '꼬불꼬불한 모자'와 같이 표현할 수 없습니다.

4 이 글에서 전달하는 정보는 라면이 꼬불꼬불한 모양이라는 것과 라면이 꼬불꼬불한 모양을 가지게 된 까닭입니다. 라면은 빨리 잘 익고, 면발을 튀기는 과정에서 기름을 흡수하고 말리는 시간을 줄이며, 포장할 때 부피를 줄일 수 있어서 꼬불꼬불한 모양입니다.

022쪽

1 붇고 **2** (1) ○

---

1 라면과 함께 사용할 수 있는 낱말은 '붇고'입니다. 면발이 덜 붇는다는 것은 면발이 물에 젖어서 부피가 커지는 일이 덜하다는 것을 뜻합니다.

> **《 왜 틀렸을까? 》**
> '불고'는 '바람이 일어나서 어느 방향으로 움직이고.'라는 뜻이므로, '따뜻한 바람이 불고, 따사로운 햇살도 내리쬔다.'와 같이 사용할 수 있는 낱말입니다.

2 '곧은 모양보다 꼬불꼬불한 모양이 물에 닿는 부분이 넓어서 빨리 잘 익기 때문이야.'의 '익기'는 '고기나 채소, 곡식 따위의 날것이 뜨거운 열을 받아 그 성질과 맛이 달라지기.'라는 뜻으로 쓰였습니다. 이와 같은 뜻으로 쓰인 것은 (1)의 '고기가 푹 익기를 기다리며 계속 볶았다.'에 쓰인 '익기'입니다.

> **《 왜 틀렸을까? 》**
> (2): '바느질 솜씨가 손에 익기까지 많이 연습했다.'에 쓰인 '익기'는 '자주 경험하여 조금도 서투르지 않기.'라는 뜻으로 쓰였습니다.

023쪽

🐷 남자아이가 10000원을 냈으므로, 산 물건의 총금액인 8000원을 빼고 남은 돈인 2000 원을 거슬러 받아야 해요.

○ 거스름돈은 치러야 할 돈을 빼고 도로 주거나 받는 돈입니다. 따라서 남자아이가 낸 돈의 액수에서 남자아이가 산 물건의 값을 빼면 거스름돈이 얼마인지 알 수 있습니다. 이 계산을 할 때에는 영수증에 적혀 있는 '받은 돈'이 남자아이가 낸 돈이고, '총금액'이 남자아이가 산 물건의 값을 모두 더한 값을 뜻한다는 것에 주의해야 합니다. 이 내용을 식으로 나타내면 다음과 같습니다.

영수증의 받은 돈 (남자아이가 낸 돈)		영수증의 총금액 (남자아이가 산 물건값)		거스름돈 (남자아이가 받을 돈)
10000	−	8000	=	2000

025쪽 _{똑똑한} **하루 독해** 미리 보기

❶ 고추밭　　❷ 솎아

026쪽~**027**쪽 _{똑똑한} **하루 독해**

1 ①, ③　　　　**2** (1) (몸부림치는) 지렁이 등
(2) (몸을 꼬는) 배추벌레 등　　　　**3** (1) ○
4 ❶ 지렁이　❷ 배추벌레　❸ 놀란

1 1연의 '고추밭을 매다가'로 보아 말하는 이는 고추밭을 매었습니다. 2연의 '배춧잎을 솎아 주다'로 보아 말하는 이는 배춧잎을 솎아 주었습니다.

2 1연에서 말하는 이는 고추밭을 매다가 명아주 뿌리에 끌려 나와 몸부림치는 지렁이를 보았습니다. 2연에서 말하는 이는 배춧잎을 솎아 주다 고갱이에 누워 자다 몸을 꼬는 배추벌레를 보았습니다.

> **채점 기준**
> (1)에는 '지렁이', (2)에는 '배추벌레'라는 말이 들어가고, 앞뒤 말과 자연스럽게 이어지도록 썼으면 정답으로 합니다.

3 ㉠은 지렁이를 보고 "엄마얏! 지렁이"라고 하는 말이고, ㉡은 배추벌레를 보고 "엄마야, 벌레 좀 봐!"라고 하는 말입니다. ㉠과 ㉡ 모두 깜짝 놀라서 하는 말이므로, 찡그리는 표정과 눈을 가리는 듯한 행동을 하는 것이 어울립니다.

4 이 시를 읽고 말하는 이가 고추밭을 매다가 지렁이를 발견하고, 배춧잎을 솎아 주다가 배추벌레를 발견하는 장면을 떠올릴 수 있습니다. 이를 통하여 이때 말하는 이가 지렁이와 배추벌레를 발견하고 깜짝 놀란 마음이 들었다는 것을 짐작할 수 있습니다.

028쪽 _{똑똑한} **하루 독해** 어휘

1 (1) 동물　(2) 식물　　　**2** (1) 나무　(2) 갈대

1 (1) '지렁이'와 '배추벌레'를 모두 포함하는 말은 '동물'입니다.
(2) '고추'와 '명아주'를 모두 포함하는 말은 '식물'입니다.

> **왜 틀렸을까?**
> '곡물'은 쌀, 보리 등의 식량을 통틀어 이르는 말이고 '건물'은 사람이 들어 살거나, 일을 하거나, 물건을 넣어 두기 위하여 지은 집을 통틀어 이르는 말입니다.

2 (1) '나뭇잎'은 '나무의 잎.'이라는 뜻입니다.
(2) '갈댓잎'은 '갈대의 잎.'이라는 뜻입니다.

> **더 알아보기**
> **'갈대'에 대하여 알아보기**
> 볏과의 여러해살이풀로, 높이는 1~3미터이며 잎은 길고 끝이 뾰족합니다. 줄기는 단단하고 속이 비어 있으며 발, 삿자리 따위의 재료로 씁니다. 습지나 물가에 자라는데 우리나라를 비롯하여 전 세계에 널리 분포합니다.
>
> ▲ 갈대

029쪽 _{똑똑한} **하루 독해** 게임

알에서 나온 배추벌레는 허물을 벗고 번데기가 되었다가 일주일쯤 지나면 어른벌레인 | 배 | 추 | 흰 | 나 | 비 |가 돼요.

○ 이 만화에는 배추벌레가 어른벌레가 되는 과정이 나타나 있습니다. 알에서 나온 배추벌레는 네 번의 허물을 벗은 뒤에 번데기가 됩니다. 번데기 상태에서 일주일쯤 지나면 어른벌레가 되는데 이 어른벌레가 바로 '배추흰나비'입니다.

> **더 알아보기**
> **'배추흰나비'에 대하여 알아보기**
> 흰나빗과의 하나로, 날개는 흰색으로 앞날개의 끝은 검은색이고 앞날개에 두 개, 뒷날개에 한 개의 검은 무늬가 있으며, 암컷은 누런빛이 섞여 있고 검은 무늬가 더 분명합니다.
>
> ▲ 배추흰나비

4일

031쪽

똑똑한
하루 독해 **미리 보기**

1 손잡이 　　**2** 곡식

032쪽~**033**쪽

똑똑한
하루 독해

1 기가 막히는 듯하다. 등　　**2** (2) ○　　**3** ②
4 ❶ 맷돌　❷ 뜻밖

1 '어처구니없다'는 '일이 너무 뜻밖이어서 기가 막히는 듯하다.'라는 뜻입니다.

> **채점 기준**
> 기가 막히는 듯하다는 내용으로 썼으면 정답으로 합니다.

2 이 글에서 맷돌의 구조를 설명할 때 '맷돌'을 '수맷돌', '암맷돌', '중쇠', '아가리', '손잡이'로 나누어 설명하였습니다.

3 ㉠에는 맷돌을 돌리는 모습을 꾸며 줄 수 있는 말이 들어가야 합니다. 따라서 '큰 것이 잇따라 미끄럽게 도는 모양.'을 뜻하는 '빙글빙글'이 들어가야 알맞습니다.

> **왜 틀렸을까?**
> ①: '알로록달로록'의 준말로, '여러 가지 밝은 빛깔의 점이나 줄 따위가 조금 성기고 고르지 않게 무늬를 이룬 모양.'을 뜻합니다.
> ③: '갑자기 가볍고 힘 있게 자꾸 날아오르거나 뛰어오르는 모양.'을 뜻합니다.
> ④: '크기가 다른 작은 것들이 고르지 않게 많이 모여 있는 모양.'을 뜻합니다.
> ⑤: '남이 알아듣지 못하도록 작은 목소리로 자꾸 가만가만 이야기하는 소리. 또는 그 모양.'을 뜻합니다.

4 이 글에서 '어처구니'는 맷돌의 손잡이를 불렀던 말이라고 짐작하는 사람들이 있다고 하였습니다. 손잡이가 없으면 맷돌을 돌릴 수 없기 때문에 일이 너무 뜻밖이어서 기가 막히는 듯할 때 '어처구니없다'라는 말을 썼을 것이라고 짐작한 것입니다.

034쪽

똑똑한
하루 독해 **어휘**

1 (1) 어떡해　(2) 어떻게　　**2** (1) ○

1 (1) '손잡이가 없으면 맷돌을 돌릴 수 없는데 어떻게 해.'라고 표현해도 뜻이 통하므로 문장의 끝에 '어떡해'가 들어가야 알맞습니다.
　(2) '손잡이가 없으면 어떻게 해 맷돌을 돌릴 수 있겠어요?'라고 표현하면 뜻이 통하지 않으므로 '어떻게'가 알맞습니다.

2 '가루나 알갱이 따위가 아주 잘게.'의 뜻으로 쓰인 것은 (1)의 '밀가루를 체에 쳐서 <u>곱게</u> 만들었다.'에 쓰인 '곱게'입니다.

> **왜 틀렸을까?**
> (2): '가을이 되자 단풍이 곱게 물들었다.'에 쓰인 '곱게'는 '색깔이 밝고 산뜻하여 보기 좋은 상태에 있게.'라는 뜻으로 쓰였습니다.

035쪽

똑똑한
하루 독해 **게임**

◉ 옛날에는 왼쪽 그림과 같이 부엌에서 주로 '가마솥', '아궁이', '맷돌', '개다리소반'을 사용했습니다. 오늘날에는 오른쪽 그림과 같이 부엌에서 주로 '전기밥솥', '가스레인지', '믹서', '식탁'을 사용합니다. 음식 재료로 가려진 곳에 알맞은 조각을 맞추면 다음과 같은 그림이 완성됩니다.

5일

037쪽
똑똑한 하루 독해 미리 보기

❶ 준비 ❷ 간격 ❸ 순서

038쪽~039쪽
똑똑한 하루 독해

1 ③
2 일정한 간격으로 띄우고 등
3 ④
4 ❶ 고정 ❷ 실 ❸ 젓가락

1 이 글에서 제시한 그림을 보고 숟가락 실로폰을 만드는 방법을 쉽게 알 수 있습니다. 글로만 설명하는 것보다 그림을 함께 보여 주면 숟가락 실로폰을 만드는 방법을 더 이해하기 쉽습니다.

2 세 번째로 설명한 내용에 숟가락 실로폰에 계량스푼을 매달 때 주의할 점이 나타나 있습니다.

> **채점 기준**
> 일정한 간격으로 띄운다는 내용을 앞뒤 말과 잘 이어지게 썼으면 정답으로 합니다.

3 작고 짧은 계량스푼을 치면 높은 소리가 난다고 하였으므로, 가장 크기가 작고 길이가 짧은 계량스푼을 골라야 합니다. 따라서 ④가 가장 높은 소리가 날 것입니다.

4 숟가락 실로폰을 만들려면 먼저 스탠드 두 개에 막대기를 고정하고, 그 뒤 계량스푼 네 개에 각각 실을 묶습니다. 그런 다음 일정한 간격을 유지하면서 계량스푼을 길이 순서대로 막대기에 매달고, 숟가락 실로폰을 완성한 뒤 젓가락으로 계량스푼을 칩니다.

040쪽
똑똑한 하루 독해 어휘

1 묶는다
2 (1) 숟가락 (2) 젓가락

1 각각의 계량스푼에 실을 잡아맨다는 뜻이므로 '묶는다'가 들어가야 합니다.

2 '수저'는 (1)의 숟가락과 (2)의 젓가락을 아울러 이르는 말입니다.

041쪽
똑똑한 하루 독해 게임

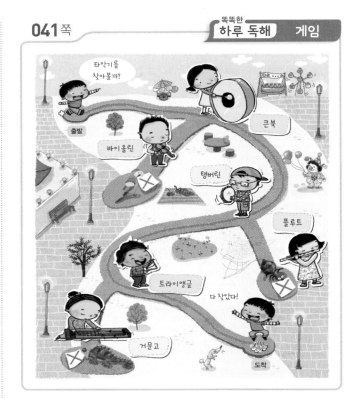

○ 두드려서 소리를 내는 '큰북', '탬버린', '트라이앵글'을 따라 길을 찾아야 합니다.

> **[더 알아보기]**
> '바이올린'과 '거문고'는 현을 켜거나 타서 소리를 내는 현악기이고, '플루트'는 입으로 불어서 관 안의 공기를 진동시켜 소리를 내는 관악기입니다.

042쪽~043쪽
평가 누구나 100점 테스트

1 왈 왈왈.
2 ③
3 (1) 무릎 (2) 거름
4 ②, ⑤
5 (1) ① (2) ③ (3) ②
6 지렁이, 배추벌레
7 ②
8 ㉢
9 ㉠
10 ①

1 이 글에서 '나'는 "월월 월.", "왈 왈왈." 하고 소리 내었습니다.

2 이 글에서 '내'가 "월월 월.", "왈 왈왈." 하고 소리 내는 것으로 보아 강아지라는 것을 알 수 있습니다.

3 '무릎'은 [무릅], '걸음'은 [거름]으로 소리 납니다.

(왜 틀렸을까?)

　　받침이 'ㅍ'인 낱말은 대표음 'ㅂ'으로 소리 납니다. 또한 '걸음'과 같이 앞말에 받침이 있고, 뒷말이 'ㅇ'으로 시작하는 낱말은, 앞말의 받침이 뒷말로 옮겨 소리 납니다.

4 라면을 꼬불꼬불한 모양으로 만드는 까닭은 꼬불꼬불한 모양으로 만들어야 면발이 물에 닿는 부분이 넓어져서 빨리 익고, 면발을 튀기는 과정에서도 기름을 흡수하고 말리는 시간을 줄일 수 있기 때문입니다.

5 '곧다'는 '굽거나 비뚤어지지 않고 똑바르다.'라는 뜻으로 '굽다'와 뜻이 반대입니다. '넓다'는 '면이나 바닥 따위의 면적이 크다.'라는 뜻으로 '좁다'와 뜻이 반대입니다. '줄이다'는 '시간이나 기간을 짧아지게 하다.'라는 뜻으로 '늘리다'와 뜻이 반대입니다.

(더 알아보기)

• **굽다**: 한쪽으로 휘다.
• **좁다**: 면이나 바닥 따위의 면적이 작다.
• **늘리다**: 시간이나 기간을 길게 하다.

6 시에서 말하는 이는 고추밭을 매다가 지렁이를 보았고, 배춧잎을 솎아 주다가 배추벌레를 보았습니다.

7 지렁이와 배추벌레를 본 '나'는 '엄마얏!', '엄마야' 하며 깜짝 놀랐습니다. 또한 3연에서 '누가 더 놀랐을까'라는 말에서 말하는 이의 마음이 놀란 마음이라는 것을 알 수 있습니다.

8 맷돌을 돌릴 때 쓰는 손잡이를 '어처구니'라고 불렀다는 말이 있다고 하였습니다.

9 '어처구니없다'라는 말은 일이 너무 뜻밖이어서 기가 막히는 듯할 때 썼다고 하였습니다.

(왜 틀렸을까?)

　　ⓒ '자기가 하고도 하지 않은 체하거나 알고 있으면서도 모르는 체하다.'는 '시치미를 떼다'라는 말의 뜻에 해당합니다.

10 계량스푼이 작고 짧을수록 높은 소리, 계량스푼이 크고 길수록 낮은 소리가 난다고 하였습니다. ①~④ 가운데 계량스푼이 크고 긴 것은 ①입니다.

044쪽~**049**쪽  특강 창의·융합·코딩

1 ❶ 명아주　❷ 부피　❸ 계량스푼
2 ❶2　❷2　❸1　❹1　❺2
3 (1) 기름　(2) 산소
4 (1) 끓을　(2) 새고　(3) 모아
5 (1) ① | 과 | 수 | 원 |　② | 과 | 실 | 즙 |
　　(2) | 因 | 果 | 應 | 報 |

1 1주에서 배운 낱말을 떠올리며 알맞은 답을 만화에서 찾아 써 봅니다.

2 나연이가 라면을 끓이는 순서에 맞게 따라갑니다.

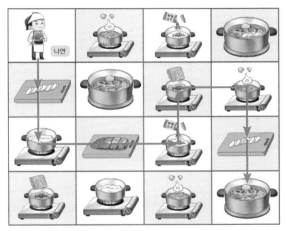

3 지렁이는 흙을 썩게 하는 음식 찌꺼기나 동물들의 배설물을 먹고 흙을 기름지게 만드는 똥을 누면서 흙을 살린다고 하였습니다. 또한, 흙을 파헤치고 다니면서 흙을 골고루 섞어 주고, 흙에 산소를 공급해 주어 흙이 숨 쉴 수 있게 해 준다고 하였습니다.

4 '단수'란 '수돗물의 공급을 끊음.'이라는 뜻이고 '누수'란 '물이 샘.'을 뜻합니다. 또한 '비축'은 '만약의 경우를 대비하여 미리 갖추어 모아 두거나 저축함.'을 뜻합니다.

5 (1) ① 과수원(果樹園): 열매를 얻기 위하여 가꾸는 나무를 심은 밭.
　　② 과실즙(果實汁): 과일에서 배어 나오거나 과일을 짜서 나온 즙.
　(2) 빈칸에 '과(果)' 자를 적어 '이전에 행한 선악에 따라 현재의 행복이나 불행이 결정되는 것.'이라는 뜻의 '인과응보(因果應報)'를 완성합니다.

052쪽~**053**쪽 | 2주에는 무엇을 공부할까? **②**

1-1 (1) ○   1-2 선고
2-1 (2) ○   2-2 기상청

1-1 '선고'란 '법정에서 재판장이 판결을 알리는 일.'을 뜻합니다.

1-2 징역 20년을 선고받은 김▲▲ 씨가 10년 만에 무죄를 받았다는 내용의 신문 기사이므로, 빈칸에 들어갈 말은 '선고'입니다.

2-1 '기상청'이란, 우리나라의 기상 상태를 관측하고 예보하는 사무를 맡아보는 곳입니다. 태풍이 올 것이라고 예보하였다고 하였으므로 빈칸에 들어갈 말은 '기상청'입니다.

2-2 날씨를 관측하고 예보하는 일을 맡아보는 곳은 기상청입니다.

1일

055쪽   똑똑한 하루 독해 미리 보기

1 징역   2 감옥살이

056쪽~**057**쪽   똑똑한 하루 독해

1 ㉮   2 조카들을 배불리 먹일 등
3 (1) ○   4 ❶ 조카 ❷ 감옥살이

1 '고아'란 '부모를 잃거나 부모에게 버림받아 몸 붙일 곳이 없는 아이.'를 뜻합니다. 소녀가 어려서 부모를 잃었다는 부분으로 보아 문장 ㉮의 빈칸에 '고아'라는 낱말이 들어가기 알맞습니다.

2 장 발장은 빵 가게 안의 빵을 보며 '저 빵 한 덩어리면 조카들을 배불리 먹일 수 있을 텐데.'라고 생각하였습니다.

> **채점 기준**
> 장 발장이 빵을 보며 생각했던 작은따옴표('   ') 안의 내용을 찾아서 썼으면 정답으로 합니다.

3 장 발장은 빵을 훔쳐 도망치다가 잡혀서 경찰서로 끌려갔고, 5년의 징역이 선고되면서 툴롱 감옥에서 감옥살이를 시작하게 되었습니다.

4 고아였던 장 발장은 누나 집에 얹혀살다가 누나의 남편이 죽자, 조카들을 돌보기 위해 쉬지 않고 일했습니다. 그러다 굶주리는 조카들을 생각하며 빵을 훔치다가 걸려서 감옥살이를 하게 되었습니다. 그러나 아이들을 혼자 먹여 살리기 어려운 누나와 잘 먹지 못할 아이들 걱정에 감옥을 탈출하기로 결심하였습니다.

058쪽   똑똑한 하루 독해 어휘

1 (1) 잡았다 (2) 잡혔다
2 (1) 감옥 (2) 타향 (3) 시집

1 '잡다'는 '손으로 움키고 놓지 않다.'라는 뜻이고, '잡히다'는 '붙들리다.'라는 뜻입니다. '잡다'는 제 힘으로 어떤 일을 할 때 쓰는 말이고, '잡히다'는 다른 대상에 의해서 어떤 일을 당할 때 쓰는 말입니다.

> **왜 틀렸을까?**
> 경찰이 도둑을 제 힘으로 손으로 움키고 놓지 않고 있으므로 (1)에는 '잡았다'가 들어가야 합니다. 도둑은 자신의 의지가 아닌 다른 대상에 의해서 붙들림을 당한 것이므로 (2)에는 '잡혔다'가 들어가야 합니다.

2 '살이'란 어떤 낱말 뒤에 붙어서 '그런 일을 하면서 사는 것. 또는 그곳에서 사는 것.'이라는 뜻을 더하는 말입니다.

059쪽   똑똑한 하루 독해 게임

만약 장 발장이 5400그램의 빵을 무사히 훔쳐 달아나 일곱 명의 조카와 장 발장의 누나, 장 발장까지 똑같이 나누어 먹었다면?

| 5400 | ÷(7+1+1) 이 되니까 한 명당 | 600 | 그램씩 빵을 먹을 수 있었겠네요!

● 장 발장이 훔친 빵이 5400그램이고 9명이 나누어 먹었다면, 5400 나누기 9를 하여 한 명당 600그램씩 빵을 먹었을 것입니다.

2일

061쪽
하루 독해 미리 보기

❶ 육각형 　❷ 불순물 　❸ 구조

062쪽~063쪽
하루 독해

1 ② 　　　2 사이사이에 빈틈 등
3 (1) ② (2) ① 　　4 ❶ 빈틈 ❷ 육각형

1 육각형은 서로 잇대어 놓으면 빈틈이 없다는 내용이므로, 빈틈이 없다는 말을 꾸며 주는 말로는 '전혀'가 알맞습니다. '전혀'는 주로 부정하는 뜻을 나타내는 낱말과 함께 쓰여 '도무지', '아주', '완전히'의 뜻을 나타냅니다.

【 왜 틀렸을까? 】
　① **설마**: '그럴 리는 없겠지만.'이라는 뜻으로 부정적인 추측을 강조할 때 씁니다.
　　예 설마 너까지 나를 의심하는 거니?
　③ **비록**: '아무리 그러하더라도.'라는 뜻으로 '-ㄹ지라도', '-지마는'과 같은 말과 함께 쓰입니다.
　　예 나는 비록 가난하지만, 불행하지 않다.
　④ **만약**: '혹시 있을지도 모르는 뜻밖의 경우에.'라는 뜻으로 '만약 -라면'의 형태로 많이 쓰입니다.
　　예 만약 내일 비가 온다면 운동회는 취소됩니다.
　⑤ **어쩌면**: '확실하지 않지만 짐작하건대.'라는 뜻입니다.
　　예 어쩌면 곧 이사를 가야 할지도 모른다.

2 꿀벌이 원이나 팔각형 모양으로 집을 지었다면 사이사이에 빈틈이 생겼을 것이라고 하였습니다.

　　채점 기준
　　'사이사이에 빈틈'이라는 내용을 넣어 답을 썼으면 정답으로 합니다.

3 삼각형이나 사각형 모양으로 집을 지으면 한 개당 면적이 육각형보다 작아서 많은 꿀을 보관할 수 없다고 하였고, 특히 삼각형은 꿀벌이 드나들기에 불편하고, 사각형은 충격에 약하다고 하였습니다.

4 문단 ㉮와 문단 ㉯의 중심 문장을 정리하여 꿀벌이 육각형 모양의 집을 짓는 까닭을 씁니다. 첫째, 빈틈이 없어야 하고, 둘째, 빈틈없이 딱 맞춰지는 도형 중에서 육각형이 가장 넓고 튼튼하기 때문에 육각형 모양의 집을 짓는 것이라고 하였습니다.

064쪽
하루 독해 어휘

1 (1) 사 (2) 육 (3) 팔 　　2 (1) 편 (2) 강 　3 저장

1 다음 평면 도형의 선분이 몇 개인지 세어 보고 알맞은 도형의 이름을 씁니다.

【 더 알아보기 】
• **원**: 평면 위의 한 점에서 일정한 거리에 있는 점들로 이루어진 곡선.
• **삼각형**: 세 개의 선분으로 둘러싸인 평면 도형.
• **사각형**: 네 개의 선분으로 둘러싸인 평면 도형.
• **육각형**: 여섯 개의 선분으로 둘러싸인 평면 도형.
• **팔각형**: 여덟 개의 선분으로 둘러싸인 평면 도형.

2 '불편하다'와 뜻이 반대인 낱말은 '편하다'이고, '약하다'와 뜻이 반대인 낱말은 '강하다'입니다.

3 꿀벌은 벌집에 꿀을 보관한다고 하였으므로, '보관'과 바꾸어 쓸 수 있는 낱말은 '저장'입니다.

065쪽
하루 독해 게임

꿀벌은 꿀이 있는 곳이 벌집에서 멀리 떨어져 있으면 (1)(원형 , 8자) 춤을 추고, 춤을 추는 횟수가 적을수록 꿀이 있는 곳이 (2)(멀다 , 가깝다)는 것을 의미해요.

○ 꿀벌이 하는 말을 통해서 알 수 있습니다. 100미터 이내에 있을 때에는 원형 춤, 100미터 밖에 있을 때에는 8자 춤을 춘다고 하였습니다. 15초 사이에 4~5번의 춤을 추면 꿀이 1000미터 정도 거리에 있는 것이고, 9~10번의 춤을 추면 꿀이 100미터 정도 거리에 있는 것이라고 하였습니다.

3일

067쪽 **하루 독해** 미리 보기

❶ 전시장 ❷ 왕성 ❸ 활기

068쪽~**069**쪽 **하루 독해**

1 (4) ○ **2** (1) 나의 소중한 남덕 씨. (2) 그대의 구촌
3 ❶ 편지 ❷ 서울

1 ㉠'3인전'이란 세 사람이 함께 펼치는 전시회라는 뜻으로, '-전'은 '전시회'의 뜻을 더하는 말입니다.

2 받을 사람과 쓴 사람은 편지의 가장 앞부분과 뒷부분에 나옵니다. 이중섭이 쓴 편지에서 받을 사람은 '나의 소중한 남덕 씨.'이고, 쓴 사람은 '그대의 구촌'입니다. 여기에서 '남덕'은 이중섭 아내의 이름이고, '구촌'은 이중섭의 호입니다.

> **채점 기준**
> (1)에는 '나의 소중한 남덕 씨.', (2)에는 '그대의 구촌'이라고 썼으면 정답으로 합니다.

3 편지에서 전하고 싶은 말은 편지의 가운데 부분에 씁니다. 이중섭은 아내에게 곧 열릴 3인전을 기다리고 있으며, 아들 태현이가 훌륭히 편지를 쓴 것에 감격하였고, 5월 말경에 서울로 갈 것이라는 내용을 전하였습니다.

> **『 더 알아보기 』**
>
> **편지의 짜임 알아보기**
> 받을 사람 — 첫인사 — 전하고 싶은 말 — 끝인사 — 쓴 날짜 — 쓴 사람
>
> **「이중섭 편지」에 나타난 편지의 짜임 알아보기**
> • **받을 사람**: 나의 소중한 남덕 씨.
> • **첫인사**: 잘 지내시나요?
> • **끝인사**: 계속 편지 보낼 테니 마음의 안정을 취하고 건강에 유의하여 하루라도 빨리 활기를 되찾기를 바라오.
> • **쓴 날짜**: 5월 20일
> • **쓴 사람**: 그대의 구촌

070쪽 **하루 독해** 어휘

1 (3) ○ **2** (1) 나흘 (2) 엿새 (3) 열흘
3 (2) ○

1 '초(初)'는 '어떤 기간의 처음이나 초기.'를 뜻하는 말이고, '말(末)'은 '어떤 기간의 끝이나 말기.'를 뜻하는 말입니다.

2 날짜를 세는 우리말을 차례대로 씁니다. '하루'는 '한 낮과 한 밤이 지나는 동안.'을 뜻하고, '이틀'은 '하루가 두 번 있는 시간의 길이.', '사흘'은 '세 날.', '나흘'은 '네 날.', '닷새'는 '다섯 날.', '엿새'는 '여섯 날.', '이레'는 '일곱 날.', '여드레'는 '여덟 날.', '아흐레'는 '아홉 날.', '열흘'은 '열 날.'을 뜻합니다.

3 '출세욕'은 '사회적으로 높은 지위에 오르거나 유명하게 되려는 욕망.'을 뜻합니다.

> **{ 왜 틀렸을까? }**
> (1)에서 '-욕'은 목욕과 관련이 있고, (3)에서 '욕-'은 부끄럽고 치욕적이고 불명예스러운 일과 관련이 있습니다.

071쪽 **하루 독해** 게임

과	수	원

🐻 이 그림의 제목은 「 과 수 원 의 가족과 아이들」이에요.

◉ 빠진 퍼즐 조각을 넣어 그림을 완성하면 다음과 같습니다.

073쪽 　　똑똑한 하루 독해 **미리 보기**

❶ 미로　　❷ 관광객

074쪽~**075**쪽 　　똑똑한 하루 독해

1 ②　　2 무척 시원해서 등　　3 (1) ○
4 ❶ 바위 ❷ 지하 ❸ 로마

1 '건조한'은 '말라서 습기가 없는.'이라는 뜻으로, 이와 뜻이 반대인 낱말은 '메마르지 않고 물기가 많아 축축한.'이라는 뜻의 '습한'입니다.

　【 왜 틀렸을까? 】
　① : 대기의 온도가 높은.
　③ : 덥거나 춥지 않고 알맞게 서늘한.
　④ : 습도와 온도가 매우 높아 찌는 듯 견디기 어렵게 더운.
　⑤ : 물체의 온도나 기온이 꽤 찬 느낌이 있는.

2 카파도키아에 있는 동굴 집은 무척 시원해서 덥고 건조한 이 지역의 집으로 알맞다고 하였습니다.

　채점 기준
　'시원해서'라는 말을 넣어 썼으면 정답으로 합니다.

3 '사실'이란 실제로 있었던 일을 말하고, '의견'이란 글쓴이의 생각을 말합니다. 절로 감탄이 나온다는 것은 글쓴이의 생각이므로, (1)이 의견에 해당합니다.

4 카파도키아에는 바위에 구멍을 뚫어서 만든 동굴 집과 지하 도시가 있습니다. 동굴 집은 덥고 건조한 지역에 알맞고 지금은 호텔이나 식당으로 모습을 바꿨습니다. 지하 도시는 몇 만 명이 생활할 수 있는 큰 공간으로 로마 시대에 크리스트교를 믿던 사람들이 숨어 살았을 것으로 추측하고 있습니다.

076쪽 　　똑똑한 하루 독해 **어휘**

1 (1) 지상　(2) 출구　　2 (1) 우뚝　(2) 숭숭
3 (1) 방청　(2) 등산

1 (1) '땅의 아래.'라는 뜻의 '지하(地下)'와 뜻이 반대인 낱말은 '땅의 위.'라는 뜻의 '지상(地上)'입니다.
　(2) '들어가는 통로.'라는 뜻의 '입구(入口)'와 뜻이 반대인 낱말은 '밖으로 나갈 수 있는 통로.'라는 뜻의 '출구(出口)'입니다.

　【 왜 틀렸을까? 】
　• **지층**: 퇴적물이 물이나 바람에 의해 옮겨 와 쌓여 생긴 암석층.
　• **비상구**: 화재나 지진 따위의 갑작스러운 사고가 일어날 때에 급히 대피할 수 있도록 특별히 마련한 출입구.

2 (1)에는 버섯처럼 생긴 바위들이 솟아 있다고 하였으므로 '우뚝'이 들어가는 것이 알맞고, (2)에는 바위에 구멍이 뚫려 있다고 하였으므로 '숭숭'이 들어가는 것이 알맞습니다.

3 '객'은 '손님' 또는 '사람'의 뜻을 더하는 낱말로, 방청하는 사람은 방청객, 산에 오르는 사람은 등산객입니다.

077쪽 　　똑똑한 하루 독해 **게임**

◉ 듬이와 도기가 우물을 구경해 보고 싶다고 하였으므로, 우물이 있는 곳을 찾아 길을 따라가 봅니다.

5일

079쪽 · 똑똑한 하루 독해 미리 보기

❶ 동반   ❷ 강타   ❸ 피해

080쪽~**081**쪽 · 똑똑한 하루 독해

1 ③   **2** ①   **3** 낙하물로 인한 피해 등
4 ❶ 창틀   ❷ 손전등

1 이 글은 태풍 피해를 예방하기 위해서 어떻게 해야 하는지에 대한 내용이 나와 있습니다.

2 '각별히'는 '어떤 일에 대하여 유달리 특별한 마음가짐이나 자세로.'라는 뜻으로, '보통과 구별되게 다르게.'라는 뜻의 '특별히'와 바꾸어 쓸 수 있습니다.

> **왜 틀렸을까?**
> ② **조심히:** 잘못이나 실수가 없도록 마음을 쓰는 말이나 행동으로.
> ③ **살며시:** 남의 눈에 띄지 않게 가만히.
> ④ **가득히:** 분량이나 수효 따위가 어떤 범위나 한도에 꽉 찬 모양.
> ⑤ **막연히:** 뚜렷하지 못하고 어렴풋하게.

3 태풍이 오면 낙하물로 인한 피해를 입을 수 있기 때문에 가급적 외출을 삼가라고 하였습니다.

> **채점 기준**
> '낙하물로 인한 피해'라는 말을 넣어 답을 썼으면 정답으로 합니다.

4 태풍 피해를 예방하기 위해서는 모든 유리창을 닫아서 잠그고, 창틀을 고정해야 합니다. 천둥·번개가 치면 전기 기구 스위치를 끄고, 정전이 되면 양초를 사용하지 않고 손전등을 사용합니다. 낙하물로 인한 피해를 입지 않도록 가급적 외출을 삼가야 합니다.

082쪽 · 똑똑한 하루 독해 어휘

1 (1) ○   **2** (1) 예보 (2) 동반   **3** 남쪽

1 '삼가다'는 '꺼리는 마음으로 양이나 횟수가 지나치지 않도록 하다.'라는 뜻으로, '삼가하다'는 잘못된 표현입니다.

2 문장의 앞뒤 내용을 살펴보고 빈칸에 알맞은 낱말을 넣습니다.

> **왜 틀렸을까?**
> • **예보:** 앞으로 일어날 일을 미리 알림. 또는 그런 보도.
> • **북상:** 북쪽을 향하여 올라감.
> • **강타:** 태풍 따위가 거세게 들이침을 빗대어 이르는 말.
> • **동반:** 어떤 사물이나 현상이 함께 생김.
> • **정전:** 오던 전기가 끊어짐.

3 '북상(北上)'은 '북쪽을 향하여 올라감.'이라는 뜻이고, '남하(南下)'는 '남쪽을 향하여 내려감.'이라는 뜻으로, 뜻이 서로 반대입니다.

083쪽 · 똑똑한 하루 독해 게임

○ 태풍으로 인해 신호등, 버스 정류장의 팻말, 간판이 떨어졌고, 나무뿌리가 뽑혔으며, 세움 간판이 나뒹굴고, 유리창이 깨졌습니다.

084쪽~**085**쪽 · 평가 누구나 100점 테스트

1 빵 (한 덩어리)   **2** ③
3 탈출   **4** ③
5 ③, ④   **6** ③
7 첫인사   **8** 의견
9 ③, ⑤   **10** 은성

1 장 발장은 빵을 훔친 죄로 감옥살이를 하게 되었습니다.

2 장 발장은 누나 혼자서 아이들을 다 먹여 살리기 어렵고, 배가 고플 조카들이 걱정되어서 감옥에서 탈출하기로 결심하였습니다.

3 '어떤 상황이나 구속에서 빠져나옴.'을 뜻하는 낱말은 '탈출'입니다.

4 꿀벌의 집은 육각형이라고 하였으므로 육각형 모양의 도형을 찾습니다.

〔 왜 틀렸을까? 〕
꿀벌의 집은 육각형 모양인데 ①은 삼각형, ②는 사각형, ④는 팔각형, ⑤는 원입니다.

5 꿀벌의 집은 육각형 모양으로 되어 있어서 빈틈이 없다고 하였습니다. 그래서 불순물이 들어가지 않고 빈틈없이 붙어 있어 꿀을 꽉 채울 수 있다고 하였습니다.

6 '나의 소중한 남덕 씨.', '잘 지내시나요?' 등의 말을 통해 편지라는 것을 알 수 있습니다.

〔 더 알아보기 〕
'나의 소중한 남덕 씨.'는 받을 사람이고, '잘 지내시나요?'는 첫인사입니다.

7 '잘 지내시나요?'는 첫인사에 해당합니다.

8 엄청난 규모에 절로 감탄이 나온다는 것은 글쓴이 개인의 생각이므로 의견에 해당합니다.

9 카파도키아 지하 도시의 입구는 바위를 뚫어서 만들었고, 지하 도시 안에는 몇 만 명이 생활할 수 있는 큰 공간이 숨어 있다고 하였습니다.

〔 왜 틀렸을까? 〕
①: 입구는 바위를 뚫었다고 하였으므로 나무가 아닌 돌로 만들었습니다.
②: 입구는 한 사람이 겨우 들어갈 정도로 좁다고 하였습니다.
④: 지하 도시 안은 몇 만 명이 생활할 정도로 규모가 크다고 하였습니다.

10 유리창은 닫아서 잠그라고 하였고, 정전이 되었을 때 화재의 위험이 있어서 양초를 사용하지 말라고 하였습니다.

086쪽~**091**쪽 〔특강 창의·융합·코딩〕

1 ❶ 면적 ❷ 건조 ❸ 동반
2 3, 3
3 (1) 미리내 (2) 니다
4 (1) 도망친 (2) 본 (3) 정보를 제공해
5 (1) ① 강 풍 ② 풍 선
(2) 馬 耳 東 風

1 2주에서 배운 낱말을 떠올리며 알맞은 답을 만화에서 찾아 써 봅니다.

2 세진이가 이중섭 그림 전시회장 입구로 들어와 그림을 감상하고 출구로 나갈 수 있도록 코딩 명령을 완성합니다.

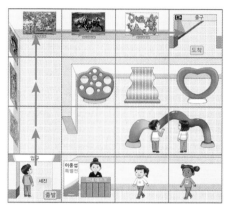

3 태풍의 이름은 순서를 매긴 차례대로 이름을 붙인다고 하였습니다. 태풍 9호의 이름이 '루핏'이므로 그 다음 태풍은 태풍 10호 '미리내', 그다음 태풍은 태풍 11호 '니다'가 됩니다.

4 '뺑소니'란 '급하게 몰래 달아나는 짓.'을 뜻하고, '목격자'란 '어떤 일을 눈으로 직접 본 사람.'을 뜻합니다. 또한 '제보'란 '정보를 제공함.'이라는 뜻이므로 뺑소니 목격자를 찾는다는 것은 급하게 몰래 달아나는 짓을 한 사람을 본 사람을 찾는다는 뜻이고, 그 사람은 경찰서에 정보를 제공해 달라는 뜻입니다.

5 (1) ① 강풍(强風): 세게 부는 바람.
② 풍선(風船): 얇은 고무주머니 속에 공기나 수소 가스를 넣어 공중으로 뜨게 만든 물건.
(2) '마이동풍'이란 남의 말을 귀담아듣지 않고 지나쳐 흘려버림을 이르는 말입니다.

1-1 '상투쟁이'는 '상투를 튼 사람을 놀리듯 부르는 말.'로, '상투쟁이'로 쓰는 것이 알맞습니다.

1-2 낱말 뒤에 '쟁이'를 붙이면 앞 낱말의 특징을 가진 사람을 낮잡아 이르는 말이 됩니다.

2-1 (1)은 '흡수'의 뜻에 해당합니다.

2-2 머리카락이 없는 선생님의 머리에 빛이 반사되는 상황입니다.

097쪽　　　똑똑한 **하루 독해** 미리 보기

❶ 따갑고　　　❷ 켜는

098쪽~099쪽　　　똑똑한 **하루 독해**

1 양초가 무엇에 쓰는 물건인지 물어보기 등　　　2 ②
3 진수　　　4 ❶ 양초 ❷ 불

1 다섯 상투쟁이들은 송 서방에게 선물받은 양초가 무엇에 쓰는 물건인지 몰라 훈장님께 물어보기 위해 찾아갔습니다.

> **채점 기준**
> 양초가 무엇에 쓰는 물건인지 물어본다는 내용이 들어가게 썼으면 정답으로 합니다.

2 훈장님은 양초가 무엇에 쓰는 물건인지 잘 알지도 못하면서 아는 체를 하여 다섯 상투쟁이들에게 원망을 들었습니다. 상투쟁이들에게 원망의 말을 듣고 얼굴이 빨개진 훈장님의 마음을 짐작해 봅니다.

3 글의 마지막 부분에서 송 서방이 양초에 불을 켜는 것을 보고 양초로 끓인 국을 먹었던 다섯 상투쟁이들은 불을 먹었다며 어쩔 줄 몰라 하였습니다. 이 내용과 자연스럽게 이어지는 뒷부분의 내용을 말한 친구는 진수입니다.

4 이야기의 흐름에 맞게 내용을 정리해 봅니다.

100쪽　　　똑똑한 **하루 독해** 어휘

1 (3) ○　　　2 지민　　　3 (1) 가치 (2) 부치니

1 제시한 각 낱말에 붙은 '양' 자는 '서구식의 또는 외국에서 들어온.'의 뜻을 더해 주고 있습니다.

2 문장을 읽어 보고 '기가 막히다'가 어떤 뜻으로 쓰였는지 생각해 봅니다.

3 받침 'ㄷ, ㅌ'이 모음자 'ㅣ'와 만나면 각각 '[ㅈ], [ㅊ]'으로 바뀌어 소리 납니다. 그러므로 '같이'는 [가치]로, '붙이니'는 [부치니]로 발음해야 합니다.

> (**더 알아보기**)
> **받침 'ㄷ, ㅌ'의 발음**
> • 받침 'ㄷ, ㅌ' 다음에 모음자 'ㅣ'가 나오면 받침 'ㄷ'은 [ㅈ]으로, 'ㅌ'은 [ㅊ]으로 바뀌어 소리 납니다.
> 　－ 해돋이 → [해도지]　　　－ 밭이 → [바치]
> • 모음자 'ㅣ' 이외에 '히'가 이어질 때에도 받침 'ㄷ'이 [ㅊ]으로 바뀌어 소리 납니다.
> 　－ 걷히다 → [거티다] → [거치다]
> 　－ 묻히다 → [무티다] → [무치다]

101쪽　　　똑똑한 **하루 독해** 게임

🐸 훈장님이 자신과 다섯 상투쟁이들의 국에 양초 조각을 (1) 7(일곱) 개씩 똑같이 넣었으니까 전체 양초 조각은 (2) 6 × 7 = 42 개예요. 양초 한 개에 세 조각이 나오니까 국에 넣은 전체 양초의 개수는 (3) 42 ÷3= 14 개예요.

○ 훈장님과 상투쟁이들은 모두 6명으로, 이들의 국에 양초 조각을 7개씩 넣으면 전체 양초 조각의 개수는 42개입니다. 양초 한 개에 3조각이 나오므로 42를 3으로 나누면 전체 양초의 개수가 14개임을 알 수 있습니다. 이것을 식으로 나타내면 아래와 같습니다.
$$6 × 7 = 42 , 42 ÷ 3 =14$$

2일

103쪽　　**똑똑한 하루 독해 미리 보기**

❶ 우주복　　❷ 발사　　❸ 지구

104쪽~105쪽　　**똑똑한 하루 독해**

1 공기　　　　**2** 뜨거워서 견디지 못할 것이다. 등
3 ②　　　　　**4** ❶ 흰색　❷ 태양　❸ 구조 대원

1 우주에는 공기가 없기 때문에 태양이 내보내는 빛이 공기에 흡수되지 않아 그 빛이 우주 비행사에게 직접 간다고 하였습니다.

〔 더 알아보기 〕
공기의 역할
　공기는 지구를 둘러싼 대기의 아랫부분을 이루는 색이 없고 투명한 기체입니다. 공기가 없으면 우리가 사는 지구는 아주 뜨거운 태양열에 직접 드러나고 숨도 쉴 수 없어 생물이 살 수 없습니다. 그리고 물체는 불에 타지도 않고 비, 바람 따위도 존재하지 못합니다.

2 빛을 흡수하는 검은색 우주복을 입고 우주에서 일을 한다면 우주 비행사는 뜨거워서 견디지 못할 것이라고 하였습니다.

채점 기준
　뜨거워서 견디지 못할 것이라는 내용이 들어가게 썼으면 정답으로 합니다.

3 앞의 내용과 뒤의 내용이 어떻게 이어지고 있는지 살펴봅니다. 앞의 내용과 반대되는 내용이 이어질 때 사용하는 이어 주는 말은 '하지만'입니다.

〔 더 알아보기 〕
· **그리고**: 앞의 문장에 덧붙이는 내용을 이어 주는 역할을 합니다.
· **그러나**: 서로 반대되는 내용을 이어 주는 역할을 합니다.
· **그래서**: 원인과 결과의 관계에 있는 문장을 이어 주는 역할을 합니다.

4 장소에 따라 색깔이 다른 우주복을 입는 까닭을 정리하여 봅니다.

106쪽　　**똑똑한 하루 독해 어휘**

1 (1) 띤　(2) 띄지　　**2** (1) 입어, 반사하는, 뜨거워서, 흡수하는　(2) 태양, 공기, 우주복

1 **보기** 의 낱말 뜻을 참고하여 제시한 문장을 읽어 보고 어떤 낱말이 들어가야 할지 생각해 봅니다.
　(1): '붉은빛을 가진 꽃'이라는 의미이므로 '띤'이 들어가는 것이 알맞습니다.
　(2): '퍼즐 조각이 눈에 보이지 않았다.'는 의미이므로 '띄지'가 들어가는 것이 알맞습니다.

2 우리말에는 '형태가 바뀌는 낱말'과 '형태가 바뀌지 않는 낱말'이 있습니다. '형태가 바뀌는 낱말'에는 움직임을 나타내는 낱말과 성질이나 상태를 나타내는 낱말 등이 있고, '형태가 바뀌지 않는 낱말'에는 사람이나 사물의 이름을 나타내는 낱말 등이 있습니다.

〔 더 알아보기 〕
'형태가 바뀌는 낱말'과 '형태가 바뀌지 않는 낱말' ⑩
· **형태가 바뀌는 낱말**: 잡다, 먹다, 작다, 웃다, 달리다, 넓다, 일어서다, 많다, 높다 등
· **형태가 바뀌지 않는 낱말**: 동생, 도서관, 소금, 필통, 책상, 가방, 학교 등

107쪽　　**똑똑한 하루 독해 게임**

북극곰이 추위를 견딜 수 있는 까닭은 털은 흰색이지만 피부가 (1) ［검은색］ 이라 내리쬐는 햇빛을 흡수하여 몸을 따뜻하게 할 수 있고, 피부 아래에 두꺼운 (2) ［지방층］ 이 있어서 체온 손실을 막아 주기 때문이에요.

◐ 만화에서 남자아이가 한 말을 자세히 읽어 봅니다. 북극곰의 털은 흰색이지만 피부는 검은색이어서 내리쬐는 햇빛을 조금이라도 더 흡수하여 몸을 따뜻하게 할 수 있어 추위를 견딜 수 있다고 하였습니다. 또 북극곰의 피부 아래에는 두꺼운 지방층이 있어서 체온 손실을 막아 준다고 하였습니다.

3일

❶ 담요   ❷ 꿈쩍이며

1 태영   2 자신도 꼼지락 돌아누웠다. 등
3 ©   4 ❶ 담요 ❷ 발

1 이 시에서 아버지와 '나'는 담요 한 장을 같이 덮고 자고 있습니다.

┌ 더 알아보기 ┐
「담요 한 장 속에」
· **글의 종류**: 시   · **글쓴이**: 권영상
· **시의 특징**: 잠을 잘 못 주무시는 아버지를 보며 혼자 잠드는 게 미안해 꼼지락 돌아눕는 '나'의 행동이나 담요를 끌어당겨 '나'의 발을 덮어 주시는 아버지의 행동을 통해 가족 간의 사랑과 서로를 배려하는 마음 등을 간접적으로 표현하고 있습니다.

2 '나'는 몸을 뒤척이시는 아버지를 보고 혼자 잠드는 게 미안해서 꼼지락 돌아누웠습니다.

채점 기준
자신도 꼼지락 돌아누웠다는 내용이 들어가게 썼으면 정답으로 합니다.

3 아버지께서 '나'의 발을 덮어 주며 어떤 생각을 하셨을지 짐작해 봅니다.

┌ 왜 틀렸을까? ┐
⊙: 아버지가 한 행동으로 짐작할 수 없는 내용입니다.
©: 시에서 '내'가 잠꼬대를 했다는 내용은 찾을 수 없습니다.

4 인물의 생각을 짐작하며 시의 내용을 간단하게 정리하여 봅니다. 아버지와 담요 한 장을 같이 덮고 나란히 누운 '나'에게 아버지께서 발에 이불을 덮어 주시며 자냐고 물으셨고, '나'는 아버지의 말씀에 속으로만 대답하였습니다.

1 (1) 팔짝팔짝 (2) 느릿느릿
2 (1) 필 (2) 대

1 제시한 문장에 어울리는 모양을 흉내 내는 말을 찾아봅니다. '팔짝팔짝'은 '갑자기 가볍고 힘 있게 자꾸 날아오르거나 뛰어오르는 모양.'을 뜻하며, '느릿느릿'은 '동작이 빠르지 못하고 매우 느린 모양.'을 뜻합니다.

┌ 더 알아보기 ┐
모양을 흉내 내는 말 예
· **주르륵**: 물건 등이 비탈진 곳에서 빠르게 잠깐 미끄러져 내리다가 멎는 모양.
· **대롱대롱**: 작은 물건이 매달려 가볍게 잇따라 흔들리는 모양.
· **오순도순**: 정답게 이야기하거나 의좋게 지내는 모양.
· **살금살금**: 남이 알아차리지 못하도록 눈치를 살펴 가면서 살며시 행동하는 모양.
· **차곡차곡**: 물건을 가지런히 겹쳐 쌓거나 포개는 모양.

2 (1)에는 말이나 소를 세는 말인 '필'이, (2)에는 차, 기계, 악기 따위를 세는 말인 '대'가 들어가야 알맞습니다.

┌ 더 알아보기 ┐
단위를 나타내는 말 예
· **쌈**: 바늘을 묶어 세는 말. 한 쌈은 바늘 24개.
· **사리**: 국수, 새끼, 실 따위의 뭉치를 세는 말.
· **톳**: 김을 묶어 세는 말. 한 톳은 김 100장.
· **손**: 한 손에 잡을 만한 분량을 세는 말.
· **다발**: 꽃, 푸성귀, 돈 따위의 묶음을 세는 말.
· **짐**: 한 사람이 한 번 지어 나를 만큼의 꾸러미를 세는 말.

「담요 한 장 속에」의 '나'는 아버지께 ' 사랑해요 '라는 말을 전하고 싶어 해요.

◉ 편지에 쓰인 기호를 보고 암호를 풀면 '사랑해요'라는 말이 된다는 것을 알 수 있습니다.

4일

115쪽 — 똑똑한 하루 독해 **미리 보기**

1 민족   **2** 야만인

116쪽~117쪽 — 똑똑한 하루 독해

1 서로 같은 민족이라는 등   **2** ③
3 영진   **4 ❶** 올림피아 **❷** 월계관

1 그리스 사람들은 각각 다른 폴리스에 살면서도 서로 같은 민족이라고 생각했기 때문에 스스로를 그리스의 조상 헬렌의 자손이라는 뜻으로 '헬레네스'라고 불렀습니다.

> **채점 기준**
> '서로 같은 민족이라는' 내용이 들어가게 썼으면 정답으로 합니다.

2 '단결된'은 '많은 사람의 마음과 힘이 한데 뭉친.'의 뜻으로 이와 바꾸어 쓸 수 있는 비슷한 낱말은 '단합된'입니다.

> **왜 틀렸을까?**
> ① **소심한**: 대담하지 못하고 조심성이 지나치게 많은.
> ② **강력한**: 힘이나 영향이 강한.
> ④ **든든한**: 어떤 것에 대한 믿음으로 마음이 허전하거나 두렵지 않고 굳센.
> ⑤ **강렬한**: 강하고 세찬.

3 앞뒤의 문장이나 낱말을 근거로 '겨루었어요'의 뜻을 짐작해 봅니다. 우승한 사람은 월계관을 받았다는 것으로 보아, '서로 버티어 승부를 다투었어요.'라는 뜻임을 짐작할 수 있습니다.

> **더 알아보기**
> **낱말의 뜻을 파악하는 방법**
> • 문맥에서 낱말의 뜻을 짐작할 수 있는 부분을 찾습니다.
> • 바꾸어 쓸 수 있는 낱말을 떠올려 보고, 그 낱말을 넣어 뜻이 통하는지 생각합니다.

4 이 글에서 설명하는 중심 내용을 파악하여 정리해 봅니다.

118쪽 — 똑똑한 하루 독해 **어휘**

1 (1) ② (2) ①   **2** (1) 원반 (2) 던져서

1 '같다'는 두 가지 이상의 뜻을 가진 '다의어'입니다. 문장을 읽고 '같다'의 뜻을 파악하며 알맞게 선으로 이어 봅니다.

> **더 알아보기**
> **다의어**
> '다의어'는 두 가지 이상의 뜻을 가진 낱말입니다. 국어사전에서는 하나의 낱말에 「1」, 「2」처럼 작은 번호를 매겨 뜻을 설명하고 있습니다.

2 제시한 '투창'과 '투포환'의 낱말 뜻을 읽어 보고 '투'의 의미가 무엇인지 생각해 봅니다.

119쪽 — 똑똑한 하루 독해 **게임**

오륜기의 다섯 동그라미가 상징하는 대륙은 세계 지도의 왼쪽부터 아프리카, (1) 유럽 , 아시아, 오세아니아, (2) 아메리카 이며, 이 다섯 동그라미가 서로 얽혀 있는 것은 세계의 모든 나라가 (3) (힘을 모으자는, 서로 싸우자는) 의미를 담고 있어요.

◎ 오륜기의 다섯 동그라미가 상징하는 대륙은 어디인지 지도에서 찾아 써 봅니다. 또 수애가 한 말을 읽어 보고 오륜기의 다섯 동그라미가 얽혀 있는 것이 어떤 의미를 담고 있는지 찾아봅니다.

> **더 알아보기**
> **오륜기**
> 근대 올림픽의 창시자인 쿠베르탱은 1914년 국제 올림픽 위원회(IOC) 20주년 기념행사에서 처음으로 오륜기를 선보였고, 그 자리에서 국제 올림픽 위원회(IOC) 공식기로 채택하였습니다. 1920년 제7회 대회부터 오륜기는 개막식과 폐막식 행사의 한 부분이 되었으며, 올림픽 기간 동안 주경기장에 걸렸습니다. 모든 올림픽 경기가 끝나면 폐막식에서 올림픽을 연 도시의 시장이 다음 올림픽이 열릴 도시의 시장에게 오륜기를 넘겨줍니다.

5일

121쪽 똑똑한 하루 독해 **미리 보기**

❶ 반응 ❷ 압박 ❸ 밀착

122쪽~**123**쪽 똑똑한 하루 독해

1 ② **2** ② **3** 환자의 코를 막고 입을 밀
착시켜야 한다. 등 **4** ❶ 반응 ❷ 압박 ❸ 인공
호흡

1 이 글은 심폐 소생술을 하는 방법에 대하여 설명하
고 있습니다.

2 받침 다음에 모음자가 이어질 때에는 받침소리를 그
대로 연결하여 발음해야 하므로 '깊이로'는 [기피로]
로 발음합니다.

3 인공호흡을 할 때에는 가슴이 부풀어 오르는지 확인
하면서 환자의 코를 막고 입을 밀착시켜야 한다고
하였습니다.

> **채점 기준**
> 환자의 코를 막고 입을 밀착시켜야 한다는 내용이 들어
> 가게 썼으면 정답으로 합니다.

4 일하는 방법에 따라 차례대로 내용을 정리해 봅니다.

124쪽 똑똑한 하루 독해 **어휘**

1 정희 **2** (1) 반응 (2) 밀착

1 '정상'은 '특별한 변동이나 탈이 없이 제대로인 상
태.'를, '비정상'은 '정상이 아님.'을 뜻합니다. 또 '공
개'는 '어떤 사실이나 사물, 내용 따위를 여러 사람
에게 널리 터놓음.'을, '비공개'는 '어떤 사실이나 사
물, 내용 따위를 남에게 알리거나 보이지 아니함.'을
뜻합니다. 즉 '비정상'과 '비공개'에 붙은 '비'는 '아
님'의 뜻을 더해 주고 있습니다. 그러므로 '정상'과
'비정상', '공개'와 '비공개'는 뜻이 서로 반대인 관계
인 낱말 짝입니다.

2 보기 에 제시한 낱말의 뜻을 생각하여 문장에 들어
갈 알맞은 낱말을 골라 봅니다.

125쪽 똑똑한 하루 독해 **게임**

◎ 지하철에서 지켜야 할 안전 수칙을 생각하며 수민이
가 심장 충격기를 사고 현장으로 가져갈 수 있도록
길을 찾아봅니다.

126쪽~**127**쪽 **평가** 누구나 100점 테스트

1 양초 **2** ②
3 (1) ○ **4** 주황색
5 ⑤ **6** ④
7 (2) ○ **8** (1) 776 (2) 4
9 ㉮ **10** 깎지, 깍지

1 ㉠의 말을 한 인물은 상투쟁이로, 상투쟁이들은 훈
장님 때문에 양초로 끓인 국을 먹었습니다.

2 양초로 끓인 국을 먹은 상투쟁이들은 자신들이 먹은
것이 양초라는 것을 알게 되었을 때 매우 황당하였
을 것입니다.

3 '기가 막히다'는 '어처구니없다'라는 말로 바꾸어 쓸
수 있습니다.

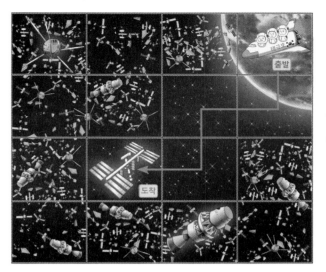

정답 및 해설

(더 알아보기)

(2) '얼굴이 두껍다'는 '부끄러움을 모르고 염치가 없다.'라는 뜻입니다.

(3) '눈이 캄캄하다'는 '정신이 아찔하고 생각이 꽉 막힌 상태이다.'라는 뜻입니다.

4 우주선 안에서 입고 있는 우주복의 색깔은 주황색이라고 하였습니다.

5 우주선이 발사될 때와 지구로 돌아올 때, 혹시 사고가 나면 구조 대원이 쉽게 찾을 수 있도록 우주선 안에서는 주황색 옷을 입는다고 하였습니다.

6 아버지는 '나'의 발에 이불을 덮어 주셨습니다.

7 아들이 추울까 봐 아들의 발에 이불을 덮어 주시는 아버지의 모습에서 아들을 사랑하는 아버지의 따뜻한 마음이 느껴집니다.

8 기원전 776년부터 그리스 사람들은 4년마다 한 번씩 올림피아 제전을 열었다고 하였습니다.

9 '우승'이란 '경기, 경주 따위에서 이겨 첫째를 차지함.'을 뜻합니다.

(왜 틀렸을까?)

㉣ '운동 경기 따위에서, 마지막으로 승부를 가리는 시합.'은 '결승전'의 뜻에 해당합니다.

10 '열 손가락을 서로 엇갈리게 바짝 맞추어 잡은 상태.'를 뜻하는 낱말은 '깍지'라고 써야 알맞습니다.

128쪽~133쪽 **특강** 창의·융합·코딩

1 ❶ 무식 ❷ 야만인 ❸ 조상
2 (1) ○
3 (1) 26 (2) 8
4 (1) 오랜 (2) 내버려 (3) 버린다
5 (1) ① 심 신 ② 안 심 (2) 以 心 傳 心

1 3주에서 배운 낱말을 떠올리며 알맞은 답을 씁니다.

2 수연이네 가족이 타고 있는 우주선 태극호가 우주에 떠 있는 우주 쓰레기를 잘 피해서 우주 정거장에 갈 수 있는 길을 찾아봅니다.

(더 알아보기)

우주 쓰레기

수명을 다한 인공위성뿐만 아니라, 위성 발사 과정에서 떨어져 나온 로켓의 일부, 로켓과 인공위성이 분리될 때 생긴 조각이나 페인트 조각 등이 모두 우주 쓰레기에 해당합니다. 이러한 우주 쓰레기는 인공위성이나 우주선에 부딪쳐 고장을 내기도 하고 큰 사고를 내기도 하여 안전에 심각한 위협이 되고 있습니다.

3 세 번째 세트에서 미국 선수가 8점, 8점, 10점을 쏘아서 총 26점을 땄습니다. 그리고 대한민국 선수가 9점, 10점을 쏘아서 현재 19점입니다. 마지막 발을 남겨 둔 상태에서 대한민국 선수가 미국 선수가 딴 26점만 넘으면 금메달을 딸 수 있습니다. 대한민국 선수가 마지막 발에서 7점을 받으면 '19+7=26'으로 미국 선수와 동점이 되어 금메달을 확정 지을 수 없고, 8점 이상을 쏘면 27점이 넘으므로 26점을 쏜 미국 선수를 제치고 금메달을 가져갈 수 있습니다.

4 '장기'는 '긴 기간.', '방치'는 '내버려 둠.', '폐기'는 '못 쓰게 된 것을 버림.'이라는 뜻으로, 장기 방치되어 있는 자전거를 폐기한다는 것은 오랜 기간 내버려 둔 자전거를 정리하여 버린다는 뜻입니다.

5 (1) ① 심신(心身): 마음과 몸을 아울러 이르는 말.
     ② 안심(安心): 모든 걱정을 떨쳐 버리고 마음을 편히 가짐.
   (2) '이심전심(以心傳心)'이란, '마음과 마음으로 서로 뜻이 통함.'을 뜻합니다.

136쪽~137쪽 | 4주에는 무엇을 공부할까? ❷

1-1 때, 떼　　　　**1-2** 떼
2-1 (2) ○　　　　**2-2** (2) ○

1-1 '목적이나 행동을 같이하는 무리.'를 뜻하는 낱말로 '떼'라고 써야 알맞습니다.

1-2 목장에 갔더니 양이 무리 지어 있었고, 무리 지어 몰려다니며 떠든다고 선생님께 꾸중을 들었다는 내용이므로 '때'가 아닌 '떼'가 들어가야 알맞습니다.

2-1 잎에서 고약한 맛을 낸다고 했으므로 '고약한'은 '맛, 냄새 따위가 비위에 거슬리게 나쁜.'의 뜻으로 쓰인 것입니다.

2-2 (1)에서는 '언행 따위가 사나운.'이라는 뜻으로 쓰였습니다.

1일

139쪽 | 똑똑한 하루 독해 미리 보기

1 물드는　　　**2** 상류

140쪽~141쪽 | 똑똑한 하루 독해

1 ①　　　**2** 강을 거슬러 오르기 등　　　**3** ⑤
4 ❶ 알　❷ 이유

1 연어의 몸이 붉게 물드는 것은 어른이 되었다는 뜻이라고 하였습니다.

2 초록 강은 연어가 떼를 지어 강을 거슬러 오르기 때문에 아름답다고 했습니다.

> **채점 기준**
> 강을 거슬러 오른다는 내용이 들어가게 썼으면 정답으로 합니다.

3 맨 마지막 초록 강의 말에서 글쓴이가 말하고자 하는 바를 알 수 있습니다.

4 글의 주제를 생각하며 내용을 간단하게 정리해 봅니다.

142쪽 | 똑똑한 하루 독해 어휘

1 (1) 성인　(2) 모두　　　**2** 수영　　　**3** 살미란

1 뜻이 서로 비슷한 낱말을 찾아봅니다. '어른'과 뜻이 비슷한 낱말은 '성인'이며 '전부'와 뜻이 비슷한 낱말은 '모두'입니다.

> ┤ **더 알아보기** ├─
> **뜻이 비슷한 낱말** 예
> • 책방 – 서점　　　• 낮 – 얼굴
> • 마을 – 동네　　　• 어린이 – 아이
> • 달걀 – 계란　　　• 산울림 – 메아리

2 문장을 읽어 보고 '찾다'가 어떤 뜻으로 쓰였는지 생각해 봅니다.

3 보기 를 참고로 하여 밑줄 그은 '삶이란'을 소리 나는 대로 써 봅니다.

143쪽 | 똑똑한 하루 독해 게임

○ 곰, 회색 늑대, 독수리, 왜가리 등을 피해 연어가 자신이 태어난 강의 상류로 도착할 수 있도록 합니다.

2일

145쪽 　　똑똑한 하루 독해 **미리 보기**

❶ 신호　　❷ 유난히　　❸ 전달

146쪽~147쪽 　　똑똑한 하루 독해

1 아카시아　　2 ③　　　　3 아주 써지기 등
4 ❶ 신호　❷ 냄새

1 식물이 멀리 떨어져 있는 다른 식물들에게 신호를 보낸다는 것을 설명하기 위해 예로 든 식물은 아카시아입니다.

┌─ 【 더 알아보기 】
│ 예시
│ 　읽는 이의 이해를 돕기 위해 구체적인 본보기가 되는
│ 예를 들어 설명하는 방법을 '예시'라고 합니다. 예시를 들
│ 때에는 '예를 들어, 예컨대, 이를테면' 등과 같은 말을 주로
│ 사용합니다. 설명하고자 하는 대상과 관계있는 예를 들어
│ 보임으로써 전하려는 의미를 분명하게 이해시키는 표현
│ 방법입니다.
└─

2 '아주'는 '보통 정도보다 훨씬 더 넘어선 상태로.'의 뜻으로 이 낱말과 바꿔 쓸 수 있는 비슷한 낱말은 '매우'입니다.

┌─ 【 왜 틀렸을까? 】
│ ① **잠깐**: 얼마 되지 않는 매우 짧은 동안.
│ ② **문득**: 생각이나 느낌 따위가 갑자기 떠오르는 모양.
│ ④ **조금**: 적은 정도나 분량.
│ ⑤ **약간**: 얼마 되지 않음.
└─

3 기린이 한자리에서 오래 아카시아 나뭇잎을 먹지 않는 까닭은 5분 정도 지나면 아카시아의 잎들이 아주 써지기 때문입니다.

　　채점 기준
　　아주 써진다는 내용이 들어가게 썼으면 정답으로 합니다.

4 이 글에서 예로 든 내용을 생각하여 아카시아가 어떻게 의사소통하는지 정리하여 봅니다.

148쪽 　　똑똑한 하루 독해 **어휘**

1 (1) 짠맛　(2) 신맛　(3) 단맛　(4) 쓴맛　(5) 매운맛
2 (2) ○

1 어떤 맛을 나타내는 낱말인지 **보기**에서 찾아 써 봅니다.

┌─ 【 더 알아보기 】
│ **맛과 관련한 우리말** 예
│ • **맛깔스럽다**: 입에 당길 만큼 음식의 맛이 있다는 뜻입
│ 　니다. '맛깔'은 음식 맛의 성질이라는 뜻을 가지고 있습
│ 　니다.
│ • **짐짐하다**: 음식이 아무 맛도 없이 찝찔하기만 하다는
│ 　말입니다. 찌개나 국을 끓였는데 특징적인 맛이 없고
│ 　조금 짠맛만 날 때 '짐짐하다'라고 합니다.
│ • **살강거리다**: 콩, 옥수수, 밤 같은 곡식이나 열매가 설익
│ 　어서 가볍게 씹히는 느낌이 들거나 소리가 날 때 '살강
│ 　거린다'라고 합니다.
│ • **시금털털하다**: 맛이나 냄새 따위가 조금 시면서도 떫은
│ 　것을 나타내는 말입니다.
└─

2 **보기**에 쓰인 '어린'의 뜻을 읽어 보고 같은 뜻으로 사용된 것은 무엇인지 찾아봅니다. (1)의 '어린'은 '어떤 현상, 기운, 추억 따위가 배어 있거나 은근히 드러난.'의 뜻입니다.

149쪽 　　똑똑한 하루 독해 **게임**

❶ 털　❷ 가시　❸ 독　❹ 냄새

◉ 그림의 내용과 설명을 참고로 하여 식물들이 자신의 몸을 보호하기 위해 사용하는 무기는 무엇인지 찾아 써 봅니다.

┌─ 【 더 알아보기 】
│ **떡갈나무가 자신을 보호하는 방법**
│ 　떡갈나무는 여름이 되면 잎에서 매우 쓰고 떫은맛을 내
│ 는 타닌을 분비합니다. 타닌이 곤충의 몸속에 들어가면 장
│ 을 상하게 하고 단백질이 소화되는 것을 방해하기 때문에
│ 곤충들이 다가오지 못하게 합니다.
└─

3일

❶ 대장간   ❷ 사냥꾼

1 사냥꾼이 뒤쫓아 오기 등   2 ④   3 (2) ○
4 ❶ 토끼   ❷ 솥

1 토끼는 숨을 헐떡이며 달려 들어와 사냥꾼이 뒤쫓아
  온다고 말하였습니다.

> **채점 기준**
> 사냥꾼이 뒤쫓아 온다는 내용이 들어가게 썼으면 정답
> 으로 합니다.

2 토끼가 어떤 상황에 처해 있는지 생각하여 행동을
  짐작해 봅니다.

> **(더 알아보기)**
> **지문**
> 　희곡은 무대 상연을 위한 연극의 대본이기 때문에 희곡
> 에는 인물이 어떤 동작이나 표정, 말투 등으로 대사를 해
> 야 하는지 나와 있습니다. 이러한 표시를 '지문'이라고 합
> 니다.

3 꼬마는 토끼를 어디에 숨겨 주어야 할지 몰라 난처
  해하고 있습니다.

> **(더 알아보기)**
> **알맞은 표정, 몸짓, 말투로 실감 나게 소리 내어 읽는 방법**
> • 인물의 말과 행동을 보고 인물의 성격이나 마음을 짐작
> 　해 보고, 주변에서 인물과 성격이 비슷한 사람이 어떠
> 　한 표정, 몸짓, 말투를 사용하는지 생각해 봅니다.
> • 자신이 그 인물이라면 어떠한 표정, 몸짓, 말투를 사용
> 　할지 생각해 보고, 희곡에서 표정, 몸짓, 말투를 알려 주
> 　는 부분을 찾아봅니다.

4 이야기의 흐름을 생각하며 내용을 간단하게 정리하
  여 봅니다.

1 (1) 보글보글   (2) 껑충껑충   2 뒤쫓아

1 그림의 상황에 알맞은 반복되는 말을 찾아 써 봅니
  다. (1)에는 '적은 양의 액체가 잇따라 야단스럽게 끓
  는 소리. 또는 그 모양.'인 '보글보글'이, (2)에는 '긴
  다리를 모으고 계속 힘 있게 솟구쳐 뛰는 모양.'인
  '껑충껑충'이 들어가야 알맞습니다.

> **(왜 틀렸을까?)**
> • **조물조물**: 작은 손놀림으로 자꾸 주물러 만지작거리는
> 　모양.
> • **끈적끈적**: 자꾸 척척 들러붙을 만큼 끈끈한 모양.
> • **기웃기웃**: 무엇을 보려고 고개나 몸 따위를 이쪽저쪽으
> 　로 조금씩 자꾸 기울이는 모양.
> • **주렁주렁**: 열매 따위가 많이 달려 있는 모양.

2 '뒤쫓다'와 '뒤좇다'의 뜻을 파악하여 빈칸에 들어갈
  알맞은 말을 골라 봅니다. 도서관에 가는 친구를 급
  히 따라간다는 의미이므로 '뒤쫓아'가 들어가는 것
  이 알맞습니다.

❶ 땔나무꾼   ❷ 물장수   ❸ 뱃사공   ❹ 옹기장수

◉ 그림 속 인물들이 하는 일을 살펴보고 **보기** 에서
  그 일을 하는 사람을 무엇이라고 불렀는지 찾아 써
  봅니다.

> **(더 알아보기)**
> **시간의 흐름에 따라 변하는 직업**
> 　직업은 새로 생기기도 하고 사라지기도 합니다. 옛날에
> 는 대부분 농사일을 많이 하였고, 여자들은 직업을 갖기
> 어려웠습니다. 부모의 직업을 이어받는 사람들이 많았기
> 때문에 직업을 자유롭게 선택할 수도 없었습니다. 그러나
> 오늘날에는 직업의 종류가 매우 다양해졌고, 여성들도 직
> 업을 가질 수 있게 되었습니다. 필요에 따라 언제든지 직
> 업을 바꿀 수 있고, 개인의 적성과 능력에 따라 직업을 가
> 질 수 있게 되었습니다.

4일

157쪽 — 하루 독해 · 미리 보기

1 심지 **2** 요란한

158쪽~**159**쪽 — 하루 독해

1 검은 화약을 채운 굵은 구리 통 속에 넣음. 등

2 ④ **3** 민지 **4** ❶ 화약 ❷ 하루

1 글의 처음 부분을 잘 읽어 보고 노벨이 어떤 과정으로 나이트로글리세린 화약을 만들었는지 차례대로 정리해 봅니다.

> **채점 기준**
> 검은 화약을 채운 굵은 구리 통 속에 넣는다는 내용이 들어가게 썼으면 정답으로 합니다.

2 노벨이 자신이 만든 화약을 실험하기 전에 어떤 마음이 들었을지 생각해 봅니다. 실험이 성공하길 간절히 바라고 있는 상황이므로 노벨은 긴장된 마음이 들었을 것입니다.

3 글에서 시대 상황을 짐작할 수 있는 내용을 찾아 알맞게 말한 친구를 찾아봅니다.

> **(왜 틀렸을까?)**
> 지우가 한 말은 글의 내용에서 확인할 수 없습니다. 오히려 화약을 이용해 효율적으로 광물을 캐려고 했던 것으로 보아 금, 은과 같은 광물에 관심이 많았음을 짐작할 수 있습니다.

4 노벨이 만든 것이 무엇인지 생각하며 글의 흐름에 맞게 내용을 정리해 봅니다.

> **(더 알아보기)**
> **전기문의 특성**
> • 전기문은 인물의 삶을 사실에 근거해 쓴 글입니다.
> • 전기문에는 인물이 살았던 시대 상황이 나타납니다.
> • 전기문에는 인물이 한 일과 인물의 가치관 등이 나타납니다.

160쪽 — 하루 독해 · 어휘

1 (1) ① (2) ③ (3) ② **2** 정은

1 각 문장을 읽어 보고 '박다'가 어떤 뜻으로 쓰였는지 생각해 봅니다.

2 제시한 낱말에 '대(大)' 자를 붙이면 모두 '크다'의 뜻이 더해짐을 알 수 있습니다.

> **(왜 틀렸을까?)**
> • **대성공**: 크게 성공함. 또는 그런 성공.
> • **대강당**: 많은 사람이 들어갈 수 있는 큰 강당.
> • **대도시**: 지역이 넓고 인구가 많은 도시.
> • **대공사**: 규모가 큰 공사.
> • **대공원**: 규모가 큰 공원.

161쪽 — 하루 독해 · 게임

> 노벨은 자신이 만든 다이너마이트가 전쟁에서 사람을 죽이는 (1) **무기** 로 사용되고 있음을 알고 전 재산을 (2) **인류** 에 도움이 되는 일에 써야겠다고 생각했어요. 그래서 유언으로 인류를 위하여 가장 훌륭한 일을 한 사람에게 상금을 주라고 하였고, 이것이 오늘날 우리가 알고 있는 노벨상이에요.

◉ 노벨이 한 생각과 유언장의 내용을 바탕으로 빈칸에 들어갈 알맞은 말을 써 봅니다. 노벨은 자신이 만든 다이너마이트가 전쟁에서 사람을 죽이는 무기로 사용되고 있음을 알고 자신의 전 재산을 인류에 도움이 되는 일에 쓰고 싶어 하였습니다.

> **(더 알아보기)**
> **노벨 평화상**
> 노벨 평화상은 세계의 평화를 위하여 공헌한 사람에게 주는 상입니다. 1901년 국제 적십자 위원회를 만든 앙리 뒤낭을 최초의 노벨 평화상 수상자로 선정한 이후로 매년 국가 간의 평화에 큰 공헌이 있는 인물이나 단체에게 주고 있습니다. 2000년에는 김대중 대통령이 대한민국의 인권과 남북한 관계 개선에 기여한 공로가 크다는 것을 인정받아 우리나라 최초로 노벨 평화상을 수상하였습니다.

5일

163쪽 똑똑한 하루 독해 미리 보기

❶ 본능 ❷ 위협 ❸ 유도

164쪽~165쪽 똑똑한 하루 독해

1 ⑤ 2 (2) ○
3 목덜미를 물어 흔들면서 공격하기 등
4 ❶ 소리 ❷ 눈 ❸ 위협 ❹ 목

1 글의 제목과 내용을 보고 무엇에 대하여 설명하고 있는지 찾아봅니다. 이 글은 사나운 개를 만났을 때 대처 방법에 대하여 설명하고 있습니다.

2 개의 눈을 똑바로 쳐다보지 말라고 했으니 '어느 쪽으로도 기울지 않고 곧게.'라는 뜻으로 쓰였음을 알 수 있습니다.

3 개는 본능적으로 목덜미를 물어 흔들면서 공격하기 때문에 개가 공격을 할 때는 자신의 목을 감싸 쥐어야 한다고 하였습니다.

> **채점 기준**
> 목덜미를 물어 흔들면서 공격한다는 내용이 들어가게 썼으면 정답으로 합니다.

4 사나운 개를 만났을 때 어떻게 대처해야 하는지 글의 주요 내용을 파악한 후에 이를 간단하게 정리해 봅니다.

> **더 알아보기**
> **글의 주요 내용을 확인하는 방법**
> • 제목을 보고 어떤 내용인지 짐작합니다.
> • 무엇을 설명하고 있는지 확인합니다.

166쪽 똑똑한 하루 독해 어휘

1 방심 2 (2) ○

1 제시한 문장을 모두 읽어 보고 공통으로 어떤 낱말이 들어가면 좋을지 생각해 봅니다.

2 만화의 상황을 통해 '똥 묻은 개가 겨 묻은 개를 나무란다.'의 뜻을 짐작해 봅니다. 만화 속 남자아이는 숙제를 안 해 와 벌을 받고 있으면서 여자아이의 작은 잘못에 대해 흉보고 있습니다.

> **왜 틀렸을까?**
> (1)은 '개가 웃을 일이다'의 뜻이고, (3)은 '닭 쫓던 개 지붕[먼 산] 쳐다보듯'의 뜻입니다.

167쪽 똑똑한 하루 독해 게임

개를 산책시킬 때 지켜야 할 예절을 알맞게 말한 친구는 (1) 수정 , 민지 , 성수 이고, 그 친구들의 개가 입고 있는 옷에 새겨진 알파벳을 차례대로 합치면 '반려동물'이라는 뜻의 영어 단어 (2) PET(펫) 이 만들어져요.

◎ 개를 산책시킬 때 지켜야 할 예절을 알맞게 말한 친구를 찾아 알파벳을 모으면 어떤 영어 단어가 만들어지는지 써 봅니다.

> **더 알아보기**
> **펫팸족**
> 펫팸족은 '반려동물'을 뜻하는 영어 'pet'과 '가족'을 뜻하는 'family'가 합쳐져 만들어진 말입니다. 펫팸족은 반려견을 단순한 애완견으로 생각하는 것이 아니라 마치 가족의 한 사람인 것처럼 보살피고 필요한 것을 공급해 주는 이들을 말합니다.

168쪽~169쪽 평가 누구나 100점 테스트

1 ㉠ 2 무리
3 ④, ⑤ 4 (2) ○
5 겨우 6 사냥꾼
7 ② 8 은유
9 금세 10 (2) ○

1 연어에게 거슬러 오른다는 것은 지금 보이지 않는 꿈, 희망과 같은 것을 찾아간다는 뜻이라고 하였습니다.

2 '떼'는 '목적이나 행동을 같이하는 무리.'를 뜻하는 말로 '무리'와 바꾸어 쓸 수 있습니다.

3 기린이 아카시아 잎을 먹으면 아카시아는 고약한 맛을 내는 물질을 만들어 잎으로 퍼뜨리고, 그와 동시에 다른 아카시아에게도 냄새로 신호를 보낸다고 하였습니다.

4 아카시아가 다른 아카시아에게 신호를 보내는 까닭은 기린이 어린 나뭇잎을 뜯어 먹지 못하도록 하기 위해서입니다.

5 기린이 자신의 잎을 뜯어 먹으면 다른 아카시아에게 냄새로 신호를 보낸다고 하였고 몇 분이라는 짧은 시간 안에 잎에서 쓴 맛이 나도록 만든다고 하였으므로 '기껏해야 고작.'이라는 뜻의 '겨우'가 들어가는 것이 알맞습니다.

> **(왜 틀렸을까?)**
> • **한창**: 어떤 일이 가장 활기 있고 왕성하게 일어나는 모양. 또는 어떤 상태가 가장 무르익은 모양.
> • **설마**: 그럴 리는 없겠지만.

6 토끼는 사냥꾼에게 쫓기고 있습니다.

7 토끼가 사냥꾼에게 쫓기고 있는 상황이므로 급한 목소리, 놀란 목소리로 말하는 것이 어울립니다.

8 노벨이 나이트로글리세린 화약을 만든 결과 수많은 사람들이 며칠씩 파냈던 광석을 네댓 사람이 하루 만에 파낼 수 있게 되었습니다.

9 '금세'란 '지금 바로.'라는 뜻으로. '금시에'가 줄어든 말입니다. '금새'는 '물건의 값.'이라는 뜻의 낱말입니다.

10 사나운 개를 만났을 때 개의 눈을 똑바로 쳐다보면 안 되는 까닭은, 개는 자신을 똑바로 쳐다보는 행동을 공격의 의미로 받아들이기 때문이라고 하였습니다.

170쪽~175쪽

1 ❶ 심지 ❷ 방심 ❸ 유난히
2 장작더미
3 (1) 물리학상 (2) 화학상
4 (1) 깊이 (2) 빠른
5 (1) ① 석 탑 ② 석 유 (2) 他 山 之 石

1 4주에서 배운 낱말을 떠올리며 알맞은 답을 만화에서 찾아 써 봅니다.

2 코딩 명령에 따라 토끼를 이동시켜 봅니다. 오른쪽으로 2칸 움직이고, 위쪽으로 1칸 움직이고, 다시 오른쪽으로 1칸을 움직이면 장작더미가 나옵니다.

3 마리 퀴리는 우라늄보다 훨씬 강한 방사능 물질인 '라듐'을 발견하면서 노벨 화학상을 수상하였고, 이후 라듐 원자량의 정밀한 측정과 금속 라듐 분리의 성공으로 다시 노벨 화학상을 수상하였습니다. 마리 퀴리는 여성 최초로 노벨상을 수상한 사람이자, 각기 다른 분야로 노벨상을 두 번이나 수상한 최초의 사람입니다.

4 '수심'은 '강이나 바다, 호수 따위의 물의 깊이.'를 뜻하고, '급류'는 '물이 빠른 속도로 흐름. 또는 그 물.'을 뜻하므로 불규칙한 수심과 급류로 인한 사고 발생 위험이 많다는 것은 물의 깊이가 일정하지 않고 물이 빠른 속도로 흘러서 사고가 날 위험이 많다는 뜻입니다.

5 (1) ① 석탑(石塔): 건축이나 토목 따위에 쓰는 돌로 된 재료를 이용하여 쌓은 탑.
    ② 석유(石油): 땅속에서 천연으로 나는, 물보다 가벼운 검은색의 걸쭉한 액체.
(2) '타산지석(他山之石)'은 '남의 좋지 않은 말이나 행동도 자신의 지식이나 인격을 수양하는 데에 도움이 될 수 있음을 이르는 말.'을 뜻합니다.

문제 읽을 준비는
저절로 되지 않습니다.

문해력을 키우는 시간

하루
10분

똑똑한 하루 국어 시리즈

문제풀이의 핵심, 문해력을 키우는 승부수

예비초~초6 각A·B
교재별14권

예비초A·B, 초1~초6: 1A~4C
총 14권

정답은
이안에
있어!